Prima edizione Piccola Biblioteca Neri Pozza, maggio 2020
Quarta edizione Piccola Biblioteca Neri Pozza, agosto 2020
Terza edizione, marzo 2021

ISBN 978-88-545-2263-3

Published by arrangement with The Italian Literary Agency

Il nostro indirizzo internet è: www.neripozza.it

EMANUELE TREVI

DUE VITE

NERI POZZA EDITORE

Quanto ad esser felici, questo è
il terribilmente difficile, estenuante.
Come portare in bilico
sulla testa una preziosa pagoda,
tutta di vetro soffiato, adorna di campanelli
e di fragili fiamme accese;
e continuare a compiere ora per ora i mille
oscuri e pesanti movimenti della giornata
senza che un lumicino si spenga, che
un campanello dia una nota turbata.
Cristina Campo
[da una lettera a Gianfranco Draghi, febbraio 1959]

Due vite

Era una di quelle persone destinate ad assomigliare, sempre di piú con l'andare del tempo, al proprio nome. Fenomeno inspiegabile, ma non cosí raro. *Rocco Carbone* suona, in effetti, come una perizia geologica. E molti lati del suo carattere per niente facile suggerivano un'ostinazione, una rigidità da regno minerale. A patto di ricordare, con i vecchi alchimisti, che non esiste in natura nulla di piú *psichico* delle pietre e dei metalli. Rafforzavano di sicuro questa impressione la fisionomia spigolosa, i lineamenti marcati. Folta e compatta, la massa inamovibile dei capelli si sarebbe detta modellata e dipinta sulla testa come quella delle marionette. In venticinque anni che l'ho frequentato, sui quarantasei della sua vita, mi sembra che sia rimasto sostanzialmente uguale, come se l'esperienza – questa spietata e sbadata matrigna – non avesse lasciato tracce visibili su di lui. Forte di braccia, gran camminatore, da ragazzino era stato cintura nera di judo. Amava fare, di questa nobilissima arte, certe estemporanee e pericolose dimostrazioni. Ed era davvero impossibile spostarlo, se piantava i piedi a terra come aveva imparato in quei lontani allenamenti sul tatami. Solo negli ultimi anni, il litio che prendeva lo aveva appesantito, ma senza mai fargli perdere del tutto quel suo aspetto tosto, agonistico. Sempre piú che sobrio nel vestire. Anche le innocenti losanghe di un maglione erano capaci di metterlo un po' in imbarazzo, mi ha confidato una volta. Cosí come esiste l'orrore del vuoto, certi individui patiscono una vera e propria fobia dell'ornamento. Nell'ultima casa abitata a Roma, quella di Monteverde Vecchio, in una palazzina moderna di via Lorenzo Valla, non c'era nemmeno piú un quadro, una qualsiasi immagine sulle pareti candide. I mobili erano ridotti all'essenziale. Gli piacevano i legni scuri, i rivestimenti di cuoio. Tutto ciò che esprimeva un'idea dello spazio e della presenza umana in maniera dimessa, priva di eloquenza. Mi ricordo di una mattina d'estate che eravamo a Parigi e ci siamo dati appuntamento davanti al Musée d'Orsay. Era il 1995, e da poche settimane lo Stato francese era entrato in possesso dell'*Origine del mondo* di Courbet. L'ultimo proprietario privato di quel quadro dalla vita avventurosa era stato Jacques Lacan, che si divertiva, dice la leggenda, a intrattenere i suoi ospiti (o i suoi pazienti?) con una specie di rituale di svelamento. Rimuoveva la copertura che custodiva il quadro difendendolo da sguardi importuni scandalizzati o lascivi, ed eccola lí, la fonte di tutte le cose, la porta della vita: tra due cosce ben tornite e divaricate, la fessura umida, quasi dischiusa, ricoperta della sua peluria fulva, dipinta con tanta sapienza, con tanta venerazione, che sembra quasi emanare il suo dolciastro, inebriante profumo di frutta lievemente marcita. Quando avevano consegnato ufficialmente il capolavoro al Musée d'Orsay, il povero ministro della Cultura francese, cattolico ed ex sindaco di Lourdes, costretto a partecipare alla cerimonia, si era prodotto in contorsioni degne di un equilibrista per evitare di essere immortalato dalle TV in compagnia di quella fica cosí capace, nonostante il freno dell'arte, di suggerire pensieri peccaminosi. Tra le opere di dimensioni immense che occupano le pareti della sala dei Courbet al pianterreno del museo l'*Origine*, con la sua cinquantina di centimetri per lato, può sembrare addirittura minuscola: un effetto simile a quello del *Cristo morto* di Mantegna a Brera – per parlare di un altro capolavoro della pittura nel quale il sacro esplode dalle dimensioni ridotte. Rocco era estasiato. Con noi c'era anche Pia Pera, la nostra adorata Pia, che quando eravamo tutti e tre insieme spendeva sempre una discreta parte delle sue energie per far sí che non iniziassimo, io e Rocco, a litigare per i soliti futilissimi motivi. Ma di quella mattina ho un ricordo luminoso, la vita pareva ancora nasconderci qualche promettente segreto, ed era come se il maestro avesse appena terminato il suo capolavoro apposta per noi, con un ultimo tocco leggero di pennello. Come dicevo, Rocco era il piú rapito. Me ne parlava, a distanza di anni, come di una rivelazione estetica suprema e anche di una data importante nella nostra amicizia. Della potenza erotica di quell'immagine, però, dei suoi sottintesi filosofici e naturalistici, non gli importava assolutamente nulla. Era semmai l'assenza di spessore del segno ad affascinarlo: la trasparenza del legame fra l'oggetto e i mezzi della sua rappresentazione. In altre parole, quella che si può definire la suprema libertà di Courbet: che non consiste nel dipingere una fica socchiusa cosí com'è, in tutta la sua carnale evidenza, ma nel farlo senza ombra di retorica. Si ha un bel dire che quella trasparenza, quella libertà sono a loro volta degli artifici e dunque delle utopie: Rocco, che era il contrario di uno scemo, ne era consapevole, eppure aveva bisogno di muoversi verso l'essenza, il nitore, la concentrazione, la coincidenza piú stretta possibile del nome e della cosa. Del senso esatto delle parole, mondate di tutta la loro possibile ambiguità, e dei vincoli morali di questa esattezza, nutriva un bisogno che definirei disperato («cosa intendi?», «perché dici cosí?», «perché ridi?»). Chi lo conosceva, sapeva che in ballo c'era qualcosa di piú profondo, necessario e vincolante di un certo gusto artistico o letterario. Le Furie che lo braccavano da quando era al mondo, fra tregue e nuovi assalti, prosperavano nel manierismo, nella complicazione, nell'incertezza dei segni e dei loro significati. Testardamente, lui cercava di semplificare, di ripulire. Se l'anatomia umana glielo avesse consentito, si sarebbe spesso e volentieri lucidato le ossa e i nervi con uno spazzolino di ferro.

Era nato nel febbraio del 1962, in bilico sulla difficile cuspide astrologica Acquario-Pesci, a Reggio Calabria. Ma una buona parte della sua infanzia l'aveva trascorsa in un paesino dell'Aspromonte, Cosoleto: un posto di gente dura, fiera, taciturna, incline a una rigorosa amarezza di vedute sulla vita e sulla morte. La maestra elementare, lí, era sua madre, che in classe lo trattava rigorosamente come gli altri ragazzini, se non in modo ancora piú severo – fatto che gli aveva procurato comprensibili sofferenze. Suo padre era stato per molto tempo il sindaco del piccolo paese all'ombra della montagna, circondato da antichi boschi e ruscelli impetuosi che scavano da millenni le loro voragini tra le rocce. Su suo padre Rocco raccontava spesso un remoto e sconcertante episodio. Era l'estate del 1970, e guardava in TV assieme ai suoi figli maschi (Rocco e Sandro, il minore: erano tre in tutto con la sorella) la famosa (e sopravvalutata) semifinale Italia-Germania, ai Campionati del Mondo in Messico. Proprio quella lí finita quattro a tre per noi, con cinque gol ai supplementari, e il colpo decisivo di Gianni Rivera. Ma allo scadere dei novanta minuti regolamentari, quando tutto il bello doveva ancora venire, suo padre, cosí la raccontava Rocco, non aveva retto all'ansia, e spenta la TV aveva costretto lui stesso e i suoi figli ad andarsene a letto sull'uno a uno. Questi aneddoti di Rocco erano tutti cosí, frammenti di un teatro dell'assurdo che ricavava dalla memoria e non si curava di ripetere per la millesima volta, come se la ripetizione li purificasse, li dotasse di un brivido profetico o di una insensata bellezza. E alla fine, quelle storie raccontate cosí spesso si insediavano stabilmente nella testa di chi le ascoltava.

Quando ho conosciuto Rocco, nell'inverno del 1983, era arrivato a Roma da poco tempo. Si era iscritto a Lettere e nel frattempo aveva vinto una specie di borsa di studio per seguire un corso di drammaturgia tenuto da Eduardo De Filippo. Tra il grande attore, ormai vicinissimo alla morte, e l'apprendista alle prime armi era sorta un'antipatia immediata, irrimediabile. Contro ogni logica, come se avesse invertito i ruoli e i relativi giudizi, Rocco aveva trovato «presuntuoso» il venerabile Eduardo. A quei tempi abitava in un collegio di preti, i cordiali e tolleranti Padri Silvestrini, che accoglievano molti «fuori sede» (lasciandoli sostanzialmente liberi di fare quello che volevano) in un vecchissimo, fatiscente e labirintico palazzo di via Santo Stefano del Cacco, all'incirca a metà strada fra piazza della Pigna e la Minerva. Era – ed è ancora – uno di quei posti di Roma sui quali il tempo si stende come una muffa, qualcosa di addirittura palpabile e dotato di un odore particolare. Per citare Patrick Leigh Fermor, scrittore molto amato da Rocco: «una vertiginosa ed esaltante antichità, una magnifica sensazione di ragnatele». A sinistra dell'entrata del collegio c'è la facciata della chiesetta di Santo Stefano Protomartire, una delle piú antiche di tutta la città, costruita sui resti di un tempio di Iside. Quella era stata da sempre una zona di culti ed effigi egiziane: anche lo stranissimo «Cacco» che dà il nome alla strada viene dal *macaco* o *macacco*, come era stata ribattezzata dal popolino una statua eretta al dio Thot, inventore della scrittura e protettore degli scribi, a volte rappresentato con la testa di scimmia, altre volte di ibis. Anche conoscendo poco quei dintorni, all'imbocco della stradina c'è un punto di riferimento inconfondibile: un grande piede di marmo infilato in un sandalo, relitto di una statua colossale di qualche imperatore, che sembra uscito direttamente da un quadro di De Chirico. Per salire fino alla camera di Rocco bisognava affrontare una specie di buia scala a chiocciola. Non c'era nessun tipo di sorveglianza. Assieme ai Silvestrini e ai loro giovani ospiti, si diceva che vivessero in quell'edificio carico di anni innumerevoli fantasmi – non cattivi, semmai colpevoli dei soliti dispetti dei fantasmi romani. La stanza di Rocco, ordinatissima e già embrionalmente simile a tutte le case abitate in seguito, godeva di una vista spettacolare sul mare dei tetti di quel ventre di Roma. La cupola del Pantheon e il campanile di Sant'Ivo alla Sapienza si fronteggiavano come due astronavi di pianeti nemici pronte a sferrare l'estremo attacco. In quella zona del centro, dominata dall'immensa mole del Collegio Romano, anche durante le sere d'estate, quando le folle di perditempo invadono le strade, regna un silenzio antico, e le ombre, quasi fossero cariche dell'umidità di fiumi e laghi sotterranei, sembrano dotate di una consistenza maggiore che altrove. Il dottor Ingravallo, Ciccio Ingravallo, l'eroe del *Pasticciaccio*, lavorava proprio lí, negli uffici della polizia che ci sono ancora oggi, dominati dallo spigolo posteriore di Palazzo Altieri come da un'alta e ripida scogliera. Le fantasie dei romanzi e gli aspetti della realtà possono diventare, in certi paraggi delle vecchie città, indistinguibili e reciprocamente generati. Ogni volta che rileggo il capolavoro di Gadda mi immagino Rocco nei panni di Ciccio Ingravallo. Non è affatto un'associazione arbitraria. Lui stesso si era totalmente identificato nel modello letterario, in quei primi anni di impatto e assimilazione di Roma. Fin dalla prima pagina, si era riconosciuto in quel commissario di polizia «misero e pertinace» (cosí Gadda) arrivato in città da un Meridione opaco, per niente solare e tantomeno dionisiaco: un retroterra di grigiore sociale e culturale dal quale era possibile portarsi dietro nient'altro che il decoro del contegno e una scienza pessimista e disillusa del cuore umano. Complice la circostanza di essere finito a vivere proprio lí, a Santo Stefano del Cacco, il romanzo di Gadda divenne per Rocco qualcosa di piú di un'opera d'arte ammirata e studiata: una specie di viatico, di manuale di resistenza alla subdola pressione che Roma, con tutta la sua ostentata e finta frivolezza, esercita sugli animi dei forestieri. Lo citava di continuo, scoprendo sempre nuovi particolari del genio mimetico di Gadda. Per esempio, la storpiatura (tipica del romanesco) del nome di Ingravallo da parte di un personaggio minore – «*Ingarballo*» – lo deliziava. Di statura media, i capelli folti e crespi, vestito «come il magro onorario statale gli permetteva di vestirsi», Ciccio Ingravallo era la dimessa, convincente incarnazione di una filosofia abbastanza credibile – fondata, come si sa, su una radicale riforma del concetto stesso di «causa». Perché ogni evento possiede sí una causa principale, o «apparente», accanto alla quale, per strappare qualche barbaglio momentaneo alle grevi e appiccicose tenebre del mondo, bisogna imparare a considerare tutte le altre, che sull'evento in questione convergono come i sedici venti della rosa in una depressione ciclonica. Un metodo forse molto proficuo di esatte deduzioni per un poliziotto, protagonista di un romanzo giallo. Ma mi basta sostituire il concetto di «delitto» con quello di «infelicità» perché i contorni del mio amico, con il bavero dell'impermeabile rialzato contro il vento della notte e una sigaretta che si consuma rapida tra le labbra, si sovrappongano perfettamente e si confondano con quella dell'eroe di Gadda.

L'infelicità. E i suoi gaddiani gomitoli di concause. Parlare della vita di Rocco significa necessariamente parlare della sua infelicità, e ammettere che faceva parte della schiera predestinata dei *nati sotto Saturno*. Ma come definire ciò di cui soffriva Rocco? Volendo far coincidere esattamente un nome alla cosa, alla fine bisognerebbe coniare un nuovo termine, tipo «rocchite», «rocchíasi».

Ma a che servirebbe? Piú ti avvicini a un individuo, piú assomiglia a un quadro impressionista, o a un muro scorticato dal tempo e dalle intemperie: diventa insomma un coagulo di macchie insensate, di grumi, di tracce indecifrabili. Ti allontani, viceversa, e quello stesso individuo comincia ad assomigliare troppo agli altri. L'unica cosa importante in questo tipo di ritratti scritti è cercare la distanza giusta, che è lo stile dell'unicità. Per quello che ne sapeva lui, nemmeno l'infanzia di Rocco era stata del tutto al sicuro da questo compagno segreto, da quest'ombra vanificatrice, da questa orrenda e inutile succhiasangue che è l'infelicità. Ma le prime manifestazioni serie erano arrivate un po' piú tardi, negli anni del liceo. I Carbone abitavano a via Tripepi, una strada centrale di Reggio Calabria dotata di un suo meridionale decoro di balconi in ferro battuto e alberelli di oleandro. Il suo grandissimo, quasi stupefacente talento per l'amicizia si era formato precocemente, creandogli i primi legami importanti. A scuola era molto bravo, gli piaceva leggere, suonava abbastanza bene la chitarra classica, con quelle dita tozze che sembravano fatte apposta per piantarsi sugli accordi, frequentava l'unico cineclub della città. Ma questa costellazione di fatti positivi, o perlomeno normali, si disponeva attorno a una specie di buco nero, capace di assorbire al suo interno ogni energia vitale, trasformandola in un greve, inerte, disperato fastidio di esistere, nel quale il futuro gli appariva come l'irrimediabile ripetizione di un presente insopportabile. Lo assalivano sciami di pensieri, come le cavallette della maledizione biblica, di cui non si riusciva a liberare in nessun modo. Molto precocemente, il sonno gli era diventato difficilissimo, e a vent'anni aveva gli orari di quei vecchi che stanno già in piedi alle cinque di mattina. Per quanto si spingesse indietro nel passato, la memoria non riusciva a catturare un frammento di benessere che non fosse insidiato, accerchiato, contaminato da quell'oscura potenza.

La fotografia l'ha scattata Rocco, una sera del 1989 o del 1990. Eravamo a casa sua, quando già abitava a via del Boschetto, sotto la costante minaccia di quelle maledette travi dove prima o poi finivi per sbattere la testa, anche se avevi solennemente giurato a te stesso di starci attento. Mi piace da matti il momento catturato casualmente da Rocco: mentre ride Pia allunga su di me la sua mano protettiva scongiurando l'urto. Che la foto sia di Rocco, e che quella sera fossimo solo noi tre, lo capisco dalle altre della serie, di cui avevo completamente dimenticato l'esistenza per quasi trent'anni e che è rispuntata fuori per caso da una busta, mentre rimettevo a posto un mucchio di carte accatastate in un armadio. Siamo sempre in due, infatti, a essere inquadrati, mentre il terzo adopera una di quelle macchinette usa e getta che si portavano a sviluppare nei negozi di ottica. In un paio di foto scattate da Pia io e Rocco siamo impegnati in una specie di lotta libera. In un'altra sono stato io a inquadrare loro due mentre frugano tra i dischi di Rocco, probabilmente per scegliere una musica da ascoltare. L'immagine è sfocata, ma il disco che Pia tiene in mano mi sembra proprio *La voce del padrone* di Battiato. In tutte le foto abbiamo un'aria felice e probabilmente un po' brilla, di persone totalmente appagate dal momento, dalla compagnia. Ne abbiamo passate tante di sere cosí, quando Pia veniva a Roma per qualche lavoro o solo perché voleva vederci. Mi ricordo che una volta io e Rocco l'avevamo trascinata per ore in un'estenuante ricerca di sigarette di contrabbando. Era successo che, per un arcano motivo burocratico e ministeriale, le sigarette erano sparite dai tabaccai e dai bar. Prima quelle buone, poi anche quelle che non fumava quasi nessuno, tipo sigaretti al mentolo. Questa carestia durò settimane e al suo apice potevano capitare certe sere in cui sarebbe stato piú facile comprare dieci grammi di eroina o una pistola che un pacchetto di Camel. Strategie di marketing dei contrabbandieri, che non potevano credere a quel regalo da parte dello Stato, e gestivano sapientemente l'astinenza. Era anche una specie di gioco, di caccia al tesoro di massa, e io e Rocco facevamo coppia fissa nelle spedizioni di ricerca. Le notti erano fredde, e a un certo punto, mentre stavamo attraversando per l'ennesima volta il piazzale davanti alla stazione, Pia si piantò sotto la pensilina di uno dei tanti capolinea degli autobus, rifiutandosi di seguirci ancora, le mani infilate con stizza nelle tasche del cappotto di lana che le arrivava alle caviglie. C'erano dei momenti in cui mi faceva pensare a una deliziosa bambolina di pezza. Ma attenti a farla arrabbiare. «Come potete essere *schiavi* di questa cosa?» Poi, quando finalmente ci imbattemmo in un ucraino che aveva un pacchetto di MS da smerciare a un prezzo scandaloso, le tornò il buonumore, perdonò la nostra debolezza da viziosi e intavolò con quello sconosciuto una lunga, musicale conversazione su Gogol'.

Inspiegabilmente, alla fotografia si associa l'idea dell'«immortalare», ma è un modo di dire sbagliato, non c'è nulla che piú della fotografia, in un modo o nell'altro sempre vincolata all'attimo e al presente, ci ricordi la nostra transitorietà e futilità. Come l'angelo con la spada infuocata (il piú incazzato e inflessibile degli angeli) il tempo ci sbarra ogni via del ritorno a quel paradiso terrestre che vediamo nelle fotografie, trasformando ogni gesto e ogni presenza nell'emblema di una caduta inarrestabile. D'altra parte, quell'attimo che la fotografia ritaglia nella durata può rendere visibile un'essenza, un aspetto permanente del carattere. Nel fondo dell'anima di Pia, anche nei momenti piú difficili e disperati, resisteva sempre una vocazione inestirpabile ad accudire, proteggere – esseri umani, animali, vegetali. E quel gesto protettivo catturato dalla foto le è cosí connaturato che assomiglia piú al respiro e al battito del cuore che alle decisioni consapevoli. Solo cosí, vorrei aggiungere, quando fare il bene è una cosa che letteralmente *ti scappa*, mentre nemmeno ci pensi, la mano arriva al momento giusto e scongiura il peggio. Paragonato a questo istinto morale, il bene volontario produce sempre il suono di una moneta fasulla. Non voglio assolutamente suggerire che Pia fosse una santa. Quando per lei è arrivato il momento, ha rivelato enormi riserve di saggezza e forza d'animo, combattendo bene la sua battaglia, ma nemmeno questo ha a che fare con la santità. Era semmai una persona intensa, dotata di un'anima prensile e sensibile, incline all'illusione, facile a risentirsi. Ho raccolto e accostato in una specie di collage alcuni ricordi di persone che l'hanno conosciuta da giovane. «Da come era vestita, e come sorrideva, mi sembrò una simpatica signorina inglese» (Francesco Cataluccio). «Una trentenne spavalda e maldestra, brillante e insopportabile, anticonformista e generosa» (Stefano Velotti). «Pia Pera, quando la conobbi, era una giovane donna sfrontata e capricciosa. Eccessiva nel suo modo di pensare, di parlare, di ridere e anche di intrecciare un'amicizia» (Edoardo Albinati). Con una sfumatura di tenerezza e qualche contraddizione in piú, sono ricordi che coincidono sostanzialmente con i miei: e del resto, le persone non sono stati d'animo, certi tratti fondamentali li vedono tutti. Certo, Pia era «sfrontata», come afferma Albinati. Ma era anche timida, sicuramente. Come è possibile che conteniamo in noi tante cose cosí disarmoniche e spaiate, manco fossimo vecchi cassetti dove le cose si accumulano alla rinfusa, senza un criterio? La Pia che molti ricordano, anche grazie a certi suoi bellissimi libri, la Pia matura e poi malata, mise in atto dei tali processi di semplificazione e di pulizia interiore, che si sarebbe quasi tentati di dire che le difficoltà della vita rendano le persone migliori e piú forti. Io non ci credo, non ammetterò mai che un dolore o una malattia servano a qualcosa, è solo una consolazione moralistica, e comunque rinuncerei volentieri a questi famosi frutti della sofferenza. Non siamo nati per diventare saggi, ma per resistere, scampare, rubare un po' di piacere a un mondo che non è stato fatto per noi. Pia fu brava a fare buon viso a cattivo gioco, non ho mai conosciuto una persona cosí coraggiosa, ma sono sicuro che la pensasse come me. E dunque mi piace evocarla nel tempo in cui tutto doveva ancora accadere, prendere forma. Il tempo della sfrontatezza, della timida sfrontatezza di Pia. Se è vero che la percezione degli spazi è determinata dal tempo che occorre a percorrerli, Milano e Roma erano molto piú distanti alla fine degli anni Ottanta che oggi. I treni a lunga percorrenza si chiamavano ancora «rapidi», e anche quando arrivarono gli «intercity» era sempre un viaggio di piú di sei ore quello che ti dovevi accollare: il doppio di oggi. In proporzione era come se Pia, quella sera della fotografia, fosse venuta a trovarci da Zurigo. Spesso era a Roma anche per vicende legate al suo lavoro di traduttrice e studiosa di letteratura russa, e all'Unione Sovietica proprio allora in via di dissoluzione con tutto il suo grottesco impero di burocrati, militari, spioni, faccendieri. Ormai per gli scrittori e gli artisti di lí era diventato un po' piú facile, anche prima del 1989 vero e proprio, venire in Italia qualche giorno a promuovere un loro libro, o partecipare a un convegno. Cosí Pia scortava spesso dei russi a visitare le bellezze di Roma, godendosele lei stessa con tutta l'anima. Ho un vago e lontanissimo ricordo di un'escursione al Celio con Viktor Erofeev (da non confondere col piú grande Venedikt), di cui Pia aveva tradotto *La bella di Mosca*. Ma le conoscenze e le amicizie strette da

Pia negli anni passati a studiare in Russia non provenivano solo dal mondo degli scrittori e degli intellettuali. Una volta mi piazzò in casa una specie di mistica disturbata, una bellissima ragazza tutta lustra come una bambolina di legno dipinto, con gli occhi perennemente velati, come d'un pianto imminente o appena terminato. Mi aveva anche incoraggiato a provarci, se era il caso e se si fosse creata l'atmosfera giusta. Appena arrivata (si chiamava Lina, o Lena, o Lana) questo sconcertante essere umano si era chiusa nella camera che le avevo preparato, emergendone dopo aver disposto un certo numero di icone, di vario formato, in capo al letto. Parlava un inglese cosí scarno che la conversazione languiva fatalmente. Cos'era venuta a fare, a Roma? In qualche modo si scoprí che voleva visitare le catacombe. E in effetti una mattina l'abbiamo portata, io e Pia, in quelle di Priscilla, nei pressi di un trafficatissimo crocevia di semafori che nei tempi di quei primi cristiani era un solitario anfratto campestre non lontano dalla via Salaria. Avremo sicuramente contemplato una quantità di loculi scavati nella pietra, di venerabili simboli dell'anima e della salvezza (navi, pesci, chiavi...) dipinti a colori scialbi, e altre cose catacombali. La nostra ospite si appartava di continuo, come se solo lei percepisse, in quelle penombre, presenze nascoste a sguardi meno mistici, profani. Mormorava, muovendo appena le labbra, qualche sua invocazione, o preghiera, non so se all'anima benevola di un martire cristiano o alla polvere del tempo. Gli altri ipogei, per fortuna, li visitò da sola, armata di una lista compilata in Russia. Altrimenti, se ne stava in camera, seduta sul bordo del letto in quella che sembrava una condizione di derelitta inattività. Esercizi mistici? Pura idiozia? Chi lo sa, è sempre difficile distinguere. Lo stesso Dostoevskij... Una mattina, involontariamente, ero entrato nel bagno mentre lei emergeva dalla doccia. Non avevo potuto fare a meno, mentre mi scusavo, di ammirare il suo corpo perfetto, ma la totale assenza di espressione dei suoi occhi grigi escludeva qualunque possibilità di desiderio, di malizia. Aveva sulle gambe dei peli cosí lunghi da far pensare a una splendida creatura fiabesca, una gocciolante donna-capra delle foreste del Caucaso. Quando le confidai il disagio che mi procurava quella convivenza, Pia mi esortò a tenere duro ancora qualche giorno. Nemmeno lei si spiegava il fascino che subiva da quella ragazza, nipote di un celebre teosofo e spiritista perseguitato dal regime sovietico. Una specie di fascista russo, se ben ricordo, di cui l'ineffabile nipote stava cercando di riportare in vita gli esoterici insegnamenti.

L'esploratrice di catacombe è solo un esemplare di quella che si può definire una vasta e sconcertante galleria di casi umani. Le persone dotate di un'anima curiosa e reattiva come era Pia si distinguono molto spesso per l'imprevedibilità dei loro attaccamenti, delle loro amicizie. Si potrebbe dire che, in ogni caso, la attirava l'autenticità, ma a parte il fatto che a questa parola ognuno dà il significato che vuole, bisogna aggiungere, in campo amoroso, anche i soggetti autenticamente pericolosi, o perché deboli o perché stronzi o per mille altri motivi che per Pia, al momento degli amari bilanci, confluivano tutti nel concetto di «verme». A innumerevoli esseri umani è dato questo destino, di ottenere molta piú felicità dall'amicizia che dall'amore. Ma purtroppo queste persone non si arrendono facilmente, perché come tutte le altre sono vittime dello stesso liquame sentimentale sull'«anima gemella» che fin da piccoli suggiamo dai romanzi, dalle canzonette, dai film. E quindi si innamorano, pensando di accedere a un grado superiore dell'esperienza e alla loro piena realizzazione, e invece stanno solo incasinando la vita che gli tocca vivere. E poi, bisogna anche considerare che, cosí come si nasce omosessuali o etero, si nasce sadici, o masochisti. Pia, questa incantevole «signorina inglese», cosí seducente che non mi sembra abbia mai rimpianto la bellezza che le mancava, era, nella sfera d'azione sentimentale, un'inveterata masochista, una volontaria vittima da infilzare. Ho ancora davanti agli occhi la fotografia che ho fatto a Rocco e Pia mentre cercano un disco. La natura di Rocco, la sua disposizione nativa fondamentale era all'opposto di quella di Pia, cioè sadica. Ma nutrendo ossessioni diverse e inconciliabili il loro fu un legame fino all'ultimo trasparente e felice, come accade quando Eros, quell'ozioso infame, non ci mette lo zampino. A ogni modo, tutta la vita sentimentale di Pia si può intravedere nel memorabile inizio del suo ultimo libro (i corsivi sono miei): «Un giorno di giugno di qualche anno fa un uomo *che diceva di amarmi* osservò, *con tono di rimprovero,* che zoppicavo». Era la prima avvisaglia della SLA, l'inizio di quell'inesorabile calvario che Pia ha affrontato sostanzialmente in solitudine, nonostante gli amici, la madre, le persone che lavoravano ai suoi libri, tutte le altre che l'hanno aiutata, e certamente Macchia, il suo ultimo cane. Ma quella frase, quella situazione, sono agghiaccianti. Non ci si può passare sopra. Quando Pia inizia lievemente a zoppicare, ha circa cinquantacinque anni: il tempo dei casini e delle persone sbagliate dovrebbe essere abbondantemente trascorso. Che cavolo significa che in quel momento decisivo ti trovi in compagnia, manco fossi una ventenne disturbata a caccia di nuove esperienze, di uno che «dice» di amarti, e che se zoppichi sembra pure infastidito? Da grande scrittrice, Pia inizia condensando in poche parole una premessa psicologica fondamentale, una spiegazione di tutte quelle notti passate da sola ad aspettare la morte che racconterà nel libro. Se dico che l'inclinazione fondamentale di Pia era il masochismo, sottintendo che era contenta di essere ciò che era, che evidentemente in qualche parte di sé traeva piacere nella frequentazione dei famosi «vermi». Ma mentre Pia teneva il diario del suo finale di partita, pieno di tante pagine indimenticabili, quel gioco non la interessava piú non perché la malattia e la sofferenza necessariamente comportino un distacco da ciò che si è stati, ma perché, semplicemente, non serviva piú a nulla. Iniziando a zoppicare, Pia si era dislocata in un terreno impervio e per molti versi inaccessibile dell'esistenza, dove nessun «verme» poteva piú raggiungerla o stupirla, e di lí scriveva il suo resoconto come da una base artica, da un insediamento su un pianeta remoto.

Lo immagino all'alba, nel collegio dei Silvestrini, mentre si fa un caffè utilizzando il fornello di una piccola cucina comune. Poi, accesa la prima delle tante sigarette della giornata, si siede al tavolo, sempre ordinato – un solo libro, un solo quaderno nero, la stilografica. Anche al momento di decidere in concreto a che scienza consacrarsi per lunghi anni, Rocco scelse una strada di scoraggiante sobrietà, degna dei suoi golfini grigi. Quando l'ho conosciuto, in un corridoio della facoltà di Lettere, non ricordo l'occasione, aveva già una certa fama di mente brillante, di futuro ricercatore, di intellettuale. Si era addentrato in conoscenze molto sofisticate di teoria letteraria, o meglio di analisi semiologica o semiotica dei testi letterari. Oggi è difficile anche solo immaginare che tipo di prestigio potesse esercitare sulle giovani menti quella filosofia strutturalista, che si proponeva come una definitiva emancipazione dello spirito umano dalle tenebre dell'empirismo e dell'approssimazione (come se lo spirito umano, lasciato libero di scegliere, non si pascesse proprio di tenebre e di errori, non si crogiolasse nelle approssimazioni!). Rocco padroneggiò rapidamente i testi sacri: la *Morfologia della fiaba* di Propp con l'introduzione di Lévi-Strauss, i *Saggi di linguistica generale* di

Jakobson, la *Semantica strutturale* di Greimas... Ancora prima di laurearsi, collaborava con articoli e brevi saggi alle riviste piú estremiste in queste faccende – testate importanti come «Alfabeta» e «Strumenti critici». E dalla tesi di laurea, dedicata all'analisi semiologica del mito e del romanzo, Rocco ricavò il suo primo libro. Conservo ancora quel volumetto dalla grafica talmente spartana da risultare involontariamente elegante. Si intitola *Mito/romanzo* – come se anche la semplice congiunzione, «mito *e* romanzo», potesse essere giudicata una concessione, una frivolezza, una deroga al ferreo proposito di imporre un ordine algebrico a quelle turbolente materie che sono i miti e i romanzi. Nemmeno il suo professore, che voleva piú saggiamente mandarlo a Catania a studiare i manoscritti di Giovanni Verga, era riuscito a dissuadere Rocco da quei propositi di conoscenza esatta priva di un qualunque brivido umano, di un accenno di soggettività. Dal mio punto di vista, tutta quella fatica aveva il sapore inequivocabile di un'occupazione per pazzoidi. Non riuscivo a capire (né ho mai capito in seguito, a dire la verità) a cosa servisse quel linguaggio, quella smania di astrazione e classificazione, quello smontare giocattoli che funzionano benissimo anche rotti. I grandi maestri che ho citato prima, come Propp e Jakobson, erano dei geni, chi lo nega, ma nelle mani degli epigoni il gioco si era fatto insensato, involontariamente comico. La cosa che mi sembrava piú simile a quelle elucubrazioni era lo stile dei comunicati delle Brigate Rosse. Esattamente come tra i militanti del famigerato gruppo terroristico, anche tra i semiologi e gli strutturalisti avevano cominciato a moltiplicarsi i pentiti: Roland Barthes fu il piú celebre apostata, si mise a scrivere i suoi splendidi ultimi libri sull'amore e sulla mamma, e al diavolo gli schemi e i diagrammi, la «morte dell'autore» e compagnia bella. Ma tutto sommato l'ideale, o la chimera, di una «scienza della letteratura» teneva ancora banco quando Rocco studiava all'università. La mia totale incomprensione di quella programmatica aridità fu l'argomento di un interminabile motteggio tra noi, durato anni. «Ma a che ti serve quella roba?» «È *importante*». «Ma importante per chi?» «Per capire». «Ma che devi capire?» – e cosí via all'infinito. Tempo per parlare, bevendo una birra o aspettando l'inizio di un film, ne avevamo tantissimo. Uscivamo tutte le sere, percorrendo un circuito di case di amici e ritrovi pubblici tra le due sponde del Tevere, e anche se non c'era il telefonino era facile incontrarsi, prima o poi. La memoria si sfarina in una serie di immagini simili a un mucchio di fotografie rovesciate sul tavolo da un cassetto: vedo Rocco con un loden scuro a un concerto dei Tuxedomoon, alla prima di uno spettacolo di Carmelo Bene che gli piacque moltissimo (*Hommelette for Hamlet*), a un droga-party organizzato in una villa fuori Roma da certi hippy che avevamo conosciuto. A una mostra di incisioni di Rembrandt, osserviamo i piú minuti dettagli con una lente di ingrandimento fornita all'entrata. Lo aiuto a trasportare dalla lavanderia a casa un tappeto arrotolato, comprato in un viaggio in Marocco, procedendo su via Flaminia, una sera d'autunno. Ci ubriachiamo di Campari in un vecchio bar di piazza della Pigna di cui gli piacevano molto il nome («Gelocremeria») e l'insegna al neon. Mentre siamo seduti al tavolino di un altro bar, davanti a Porta Pia, un pomeriggio di primavera del 1987, quando ancora le notizie sono lente e passano di bocca in bocca, un amico incontrato per caso ci dice che Primo Levi si è ucciso. Una decina di anni dopo è Rocco che mi telefona per dirmi che Arturo Patten, il nostro grande amico e maestro di vita, si è impiccato in un albergo di Agrigento. In una serie innumerevole di immagini che si sovrappongono nella memoria, lo vedo in qualche angolo del grande studio fotografico di Marco Delogu, a Trastevere, dove abbiamo passato un numero incalcolabile di pomeriggi e sere. Con Marco formavamo un terzetto molto stabile. Lui era l'unico di noi a essersi realizzato molto precocemente. Nello studio a via Natale del Grande venivano a mettersi in posa Moana Pozzi e Werner Herzog, tanto per dirne due. Come spesso mi è accaduto nella vita, avevo fatto conoscere io Marco e Rocco ma poi ne venne fuori, tra loro, un'amicizia burrascosa e per certi versi esclusiva: la piú importante della vita di entrambi, credo. Un'altra foltissima serie di ricordi mi mostra Rocco in Calabria, al paese dei miei, dove amava venire o fermarsi per spezzare il viaggio da Roma a Reggio, d'estate o durante le feste di Natale e di Pasqua, e dove tutti gli volevano bene, giocava a carte con mio zio e i suoi amici, parlava di vecchie ricette con mia nonna, sfidava a biliardo le migliori stecche del paese.

Non mi è affatto difficile rintracciare, tra tutte queste immagini mentali, espressioni di riso, di allegria, di curiosità. Un singolo ricordo può essere perfettamente lieto e spensierato, come una margherita che sboccia tra due gelate. Il fatto è che Rocco era una persona in grado di stare bene – anche piú di molti suoi simili. Se bruciava la vita con una pericolosa intensità, come se fosse dotato di una miccia piú rapida di quella degli altri, è proprio perché la capacità di godere era in lui altrettanto rigogliosa che quella di soffrire. Alla fine, gli venne diagnosticata una personalità bipolare. Anche a essere del tutto digiuni di conoscenze psichiatriche, la parola suona adeguata. Le montagne russe del suo umore prevedevano tuffi vertiginosi in basso e risalite altrettanto ripide, che si alternavano con grande rapidità. Rimango convinto che queste definizioni scientifiche possiedono un valore che arriva fino al punto in cui l'individuo, proprio perché è un individuo, scarta di lato, e dopo, dietro quella curva, non c'è nome che lo possa piú inseguire. «*C'è sempre qualcosa di assente che mi tormenta*» diceva Camille Claudel, l'allieva di Rodin, malata cronica di nervi. *Quelque chose d'absent*. Chiamiamolo cosí. Forse queste cose fanno parte della vita di ognuno, e c'è chi ci fa piú caso, e chi meno. In una certa misura, se questo è vero, la felicità dovrebbe consistere in una sempre minore attenzione a se stessi. Altro che la cura di sé! Meno sai chi sei e cosa vuoi, meglio stai. Quello che ho sempre augurato a Rocco, nei tanti anni della nostra amicizia, è stato un minimo di inconsapevolezza in piú. Ma questa è davvero una forma di saggezza che gli era del tutto estranea. Lui, invece, faceva quello che in genere è possibile fare agli esseri umani: opponeva resistenza. E non si accontentava di cavarsela, voleva una vita degna di essere vissuta, ricca di significato e di piacere. Presa la laurea, si trasferí ai Monti, quartiere ancora abbastanza malfamato da garantire affitti ragionevoli: un altro luogo in cui le «ragnatele» del tempo non facevano certo difetto. Ci restò molto tra via Baccina e una mansarda di via del Boschetto dove il tetto era cosí spiovente che tutti gli amici, prima o poi, rimediavano almeno una terribile capocciata su una delle enormi e nodose travi, come fosse un rito d'iniziazione a qualche confraternita. La carriera di studioso delle leggi del racconto, di semiologo, di professore dell'università sembrava spianata di fronte a lui. Vinse un concorso per insegnare a scuola (lo avevo aiutato con le domande di geografia, sfogliando un vecchio atlante) e poi un dottorato a Parigi, che per anni gli avrebbe consentito di dedicarsi alle sue ricerche. Non sono gavette semplici, ma Rocco sembrava nato per quello, e se solo avesse voluto ce l'avrebbe fatta, non c'è nessun dubbio. Ma in realtà non voleva. Come avevo sempre sospettato, tutta quella scienza non si era radicata in nessun luogo stabile al suo interno. Esaurita l'energia necessaria ad appropriarsela, scoprí che non gliene importava assolutamente nulla: né delle strutture del racconto, né di una cattedra all'università. Ne parlammo tanto, ovviamente, di questo cambio di rotta, passeggiando avanti e indietro per via dei Serpenti, al telefono, nelle pause per la sigaretta di fronte all'entrata della Biblioteca Nazionale, durante i viaggi in autostrada che facevamo verso la Calabria. Aveva capito che la sola idea di una vita da studioso lo gettava nel piú profondo sconforto. Ipocrita e gerarchico, per non dire servile, il modo di vita accademico non era fatto per lui. Ne avrebbe approfittato per passare un po' di tempo a Parigi, compilando svogliatamente una tesi di dottorato, ma voleva essere libero di dedicarsi a ciò che piú lo interessava. Aveva sempre scritto poesie, brevi e fulminanti strofette di tre-quattro versi, ma era la prosa narrativa che aveva calamitato con prepotenza ogni sua ambizione. Era inutile obiettargli che molti professori universitari conducevano una vita tranquilla che gli permetteva, se lo desideravano, di comporre tutti i romanzi che volevano: storici, erotici, psicologici, fantascientifici... In fondo, chi aveva scritto *Il nome della rosa*? «Non sto cercando *un hobby*», rispondeva invariabilmente, inalberando un vessillo di fierezza e confidenza in sé. Una volta presa una decisione, Rocco la rafforzava bruciando tutti i ponti alle sue spalle. Si sentiva, e voleva sentirsi, come un giocatore che punta tutto su un solo numero. Si fidava solo delle vocazioni capaci di risucchiarlo al loro interno in maniera totale. Imboccata una direzione, faceva in tutti i modi per non tornare al bivio. E come era stato meticoloso nel ficcarsi in testa quei concetti e quelle definizioni astratte della linguistica e della semiologia, con altrettanta programmatica severità, e incallita tigna, si mise a scrivere il suo primo romanzo. Da questa attività quotidiana, affrontata con la disposizione d'animo di qualcuno impegnato a spaccare pietre, non mi è mai sembrato che Rocco ricavasse una qualsiasi forma di conforto, di gratificazione. E questo mi sembra un nodo addirittura decisivo della storia che sto raccontando. A partire dal primo libro, e per i quindici anni successivi, fino al giorno della morte, Rocco ha praticato meticolosamente, ostinatamente una specie di *penitenza* che consisteva nella scrittura di romanzi. Come se scavasse una galleria in una montagna di dolore, di sconforto. Ma con l'idea implicita che, una volta sbucato dall'altra parte, avrebbe trovato le stesse identiche cose che c'erano al punto di partenza. Quel famoso titolo, *Il piacere del testo*, è quanto di meno associabile a Rocco si possa immaginare. Certo, se scrivi, mettendoti lí ogni santo giorno a pestare sui tasti, a sbagliare le parole fin quando ti sembra di trovare quella giusta, resistendo alle sirene dello scoraggiamento, un minimo sindacale di vitalità è pure necessario. Rocco non avrà fatto eccezione. Procedeva al ritmo di due pagine al giorno, e ne parlava come se avesse trovato un metodo infallibile, una ricetta magica. Ma è come se, mentre dava forma all'immagine di un mondo dominato da una cupa fatalità e privo di redenzione, lui stesso venisse risucchiato al suo interno, o meglio è come se quel mondo sobrio e sconsolato finisse per tracimare dallo schermo del computer, invadendo di una luce grigia e uniforme l'altro versante dello specchio, assoggettando Rocco alle sue leggi inesorabili, come fosse un demiurgo imprudente sopraffatto e travolto dalla materia che credeva di poter modellare e dominare.

Non era mai contento di nulla. Nella storia mondiale della letteratura, è difficile immaginare qualcuno che abbia preso ogni aspetto del lavoro di traverso come Rocco, dalle copertine alle vendite, dalla qualità delle recensioni ai rapporti con gli editori. Come l'amore (ma su questo punto sarà necessario tornare) anche la scrittura stimolava due dei talenti piú pericolosi e distruttivi di Rocco: l'arte di guastarsi il sangue per futili motivi e quella di rimanere deluso dal prossimo. Ci aveva visto bene Cesare Garboli, che a quei tempi era per noi una specie di guru e bisbetico protettore, e lo aveva solennemente sconsigliato, nel corso di alcune memorabili scenate, di cimentarsi con una forma d'esistenza, quella del romanziere, che a suo parere non era fatta per lui («Rocco, tu dovresti vivere in una cella come un monaco, in compagnia di vecchi libri, con un gatto a cui badare!!! *Non è per te!!!*»). Eppure, considerata dall'esterno, la sua carriera letteraria non sembra certo quella dell'emarginato, dell'incompreso. *Agosto,* il primo romanzo, era uscito per Theoria nel 1993, dopo un breve limbo editoriale che lo aveva ovviamente innervosito e frustrato. Per quanto piccola, la casa editrice diretta da Paolo Repetti e Beniamino Vignola aveva individuato e lanciato adeguatamente alcuni degli esordi piú significativi di quegli anni, da Marco Lodoli a Sandro Veronesi, da Giulio Mozzi a Sandro Onofri, Sandra Petrignani, e molti altri. Rocco aveva appena oltrepassato la *shadow line* dei trent'anni, e come ho già ricordato considerava la pubblicazione di quel libro una specie di Rubicone. «In ogni inizio c'è l'eternità», ha detto un grande poeta. E *Agosto*, nella sua brevità, contiene in sé tutta la sua letteratura successiva: la tonalità emotiva fondamentale, l'atteggiamento stilistico, l'organizzazione del racconto. Trascrivo le prime parole, perché mi sembrano un autoritratto artistico e insieme un oroscopo. «La luce ha invaso tutti gli angoli, cancella le ombre e rende ogni cosa di un colore uniforme». Avevo iniziato questo ricordo evocando la coesione e la *somiglianza* di tratti del carattere, gusti e abitudini di Rocco. Ma l'elenco sarebbe viziato da una mancanza troppo vistosa se non vi si aggiungesse questo modo di scrivere, che procedeva lento e regolare come fa il tempo in una sala d'attesa. Ma attesa di che? Attribuita alla luce estiva nella frase che ho citato, l'*uniformità* è il principio basilare della scrittura di Rocco. Un ordine imperturbabile regna sulla struttura della frase, escludendo ogni riflesso emotivo, ogni perdita del controllo. Sia che i personaggi parlino in prima persona, sia che ne vengano raccontati i fatti in terza, la narrazione, letteralmente, *non batte ciglio*, anche sporgendosi su abissi incommensurabili di angoscia e dolore, su lutti e privazioni e spiacevoli scoperte. Anzi, la sfida è sempre la stessa: opporre al caos, alla forza del negativo, a quelle che già ho definito le Furie, la certezza di un controllo razionale. Per parte sua, il lessico è ridotto ai minimi termini, e qualunque imitazione dell'oralità è esclusa a priori. Frutto di innumerevoli rinunce e di un'implacabile ortopedia, la lingua di Rocco è una lingua totalmente *scritta*, non piú vicina al magma della realtà, in fin dei conti, del latino di un umanista del Quattrocento. Posso a questo proposito testimoniare la profonda impressione che su Rocco, ai tempi in cui studiava, aveva esercitato l'introduzione di Giorgio Agamben a una ristampa del *Fanciullino* di Pascoli. Un bellissimo saggio in cui il filosofo si soffermava a lungo sull'«aspirazione a operare in una lingua morta» testimoniata dall'uso fatto da Pascoli non solo del latino, ma anche e ancor di piú dell'italiano. L'orrore del parlato va inquadrato in una strategia sempre rivolta al tenere a bada, ammansire, allontanare la potenza dell'irrazionale, dell'imprevedibile. Ne risulta anche una specie di astrazione perpetua. A Rocco non interessa nemmeno nominare le città dove si svolgono le sue vicende. Scherzando, a volte gli dicevo che il mondo dei suoi libri mi sembrava quello delle illustrazioni dei rebus sulla «Settimana Enigmistica». Tutte le cose erano riconoscibili, reali, ma facevano un passo indietro rispetto alla loro concretezza. Se esistevano, era grazie alla parola esatta e generica che le nominava. Armato di un invisibile piumino, Rocco scuoteva via da ogni suo oggetto la polvere dell'esperienza. Era un mondo, insomma, fatto di *nomi comuni*: strade alberi chiese negozi automobili elettrodomestici.

Per essere una persona che si lamentava sempre della scarsa considerazione che gli riservavano i suoi contemporanei, Rocco ha goduto di un trattamento editoriale piú che invidiabile. Con cadenza quasi regolare, dopo il primo romanzo sono usciti per Feltrinelli *Il comando* nel 1996 e *L'assedio* nel 1998, e per Mondadori *L'apparizione* nel 2002 e *Libera i miei nemici* nel 2005. Ma la delusione di Rocco, bisogna ammettere, non era del tutto infondata. Del resto, nella vita umana non esiste nessun vero appagamento, e basta immaginare dei motivi di frustrazione per trovarli belli e pronti nella realtà. Se questo è vero per tutti, figuriamoci per un campione del risentimento cosmico come lui. Percepí immediatamente che i suoi non erano libri di successo. Non si rendeva conto che, con tutta quell'ascesi, quel ritegno, quella mestizia la sua era roba per palati fini. Come inquadrati dalla lente di un cannocchiale rovesciato, i suoi personaggi non suscitavano l'emozione capitale in queste faccende di consenso narrativo, ovvero l'identificazione. Come avrebbe fatto a strizzare l'occhio al lettore qualcuno che sembrava non possedere nemmeno le palpebre? Come di consueto Rocco, che non praticava mai la saggia arte di aggirare gli ostacoli insuperabili, iniziò a spaccare in quattro questo sfuggente capello del successo. Aveva, dalla sua, esempi nobilissimi: persone come Henry James o Joseph Conrad consideravano disdicevoli le tirature e le vendite molto scarse dei loro romanzi: se ne sentivano addirittura in colpa. Un romanziere senza lettori, pensavano, è come uno Stato Maggiore senza esercito. Ricordo interi weekend spesi a considerare il problema da ogni punto di vista. Erano i tempi in cui era sposato con Samantha Traxler, e spesso restavo da loro qualche giorno, nella splendida villa della famiglia di Samantha a Nugola, non lontano da Pisa. Una tipica villa dalla pianta veneta costruita però, come per un capriccio ariostesco, nella campagna toscana, con enormi camini e lugubri e polverosi trofei di caccia appesi alle alte pareti, circondata da un parco immenso in cui vivevano liberamente decine di daini. Se la notte prima era piovuto, Rocco amava andare in cerca di funghi, che mangiavamo a cena sperando che non avesse commesso qualche errore fatale di valutazione. Ma era meglio rischiare l'avvelenamento che mettere in dubbio la sua competenza. Con un cestino di vimini sotto braccio, si inoltrava nel bosco a caccia di ovuli e porcini. In teoria, questi potrebbero definirsi i *bei tempi* di Rocco. E in parte, in certe occasioni, sicuramente lo erano. Amava Samantha, e ai tanti amici di Roma si erano aggiunti quelli che si era fatto a Parigi. A Nugola, quando arrivava l'estate, c'erano feste con centinaia di persone, che duravano fino all'alba. Nel garage, fiammeggiava tutta lustra una BMW rossa, regalo di nozze dei suoi. Subentrò in quel periodo una nuova identificazione romanzesca. Don Ciccio Ingravallo diventò il fantasma di un'epoca di adattamento ormai trascorsa. Adesso era Jay Gatsby a fornirgli un'idea totale di sé. Ahimè tutti questi specchi che ci offre la letteratura sono deformanti come quelli del luna park, ci rendono inverosimilmente smilzi o obesi convincendoci a riconoscerci nella deformazione. Non dico solo nei libri, ma nell'universo non c'è nulla che davvero ci assomigli, noi stessi non ci assomigliamo, e ogni forma di identificazione non è, in fin dei conti, che il casuale sovrapporsi di ombre fuggitive. È pur vero che Rocco nella parabola dell'eroe di Fitzgerald vedeva significati che non potevano lasciarlo indifferente. In Gatsby, come nel suo grande modello che era il *Martin Eden* di Jack London, altro libro compulsato da Rocco come una Bibbia, il tema del venire dal nulla e dell'ascesa sociale diventa preponderante, e si lega non solo a una carriera (di attività illecite per Gatsby, letteraria per Martin Eden), ma al legame (impossibile) che unisce l'eroe a una donna di ceto nettamente superiore. Questo schema, ovvero la conquista della ragazza *di buona famiglia*, è stato talmente ripetuto e declinato in tutte le sue possibili sfumature da Rocco che mi riesce difficile non soffermarmi su questo aspetto della sua storia. Nel senso che non può trattarsi di un caso. Era troppo gentiluomo per concepire anche alla lontana un vantaggio di natura materiale in quei legami. Eppure l'alta borghesia, e in certi casi addirittura l'aristocrazia, esercitavano su di lui un fascino derivante dal sentirsi uno sradicato, e in ultima analisi un *parvenu*. Fascino che diventava facilmente tensione erotica. Diceva sempre che puoi modificarti i lineamenti, puoi farti cancellare i tatuaggi, cambiare nome e indirizzi, ma l'origine sociale ti seguirà sempre come un'ombra e un segno indelebile e rivelatore: l'unico in grado di distinguere gli uomini tra loro. E in quelle donne che amava (e le amava davvero, in modo impetuoso e possessivo) intravedeva sempre una debolezza, una comprensione della realtà limitata dal privilegio, alla quale avrebbe posto rimedio lui, che si era conquistato ogni singola cosa partendo da quello che considerava il gradino piú basso. Se c'era un modo sicuro di mandare in bestia Rocco, di pungerlo sul vivo sollecitando tutte le sue difese, era proprio quello di fargli notare che la sua vita amorosa seguiva questo catastrofico schema narrativo con una coerenza impressionante. Fu l'argomento di alcuni litigi furibondi tra di noi, seguiti da interminabili musi lunghi e frecciatine di contorno. Appartenevo anch'io, come tanti suoi amori, a quel ceto cui Rocco, con una ingenuità sorprendente per una persona della sua intelligenza, attribuiva *ipso facto* un'esistenza piú facile e piú protetta. E mi ostinavo a ricordargli che lui stesso non era cresciuto in un campo di profughi eritrei o in una favela brasiliana. Ok, si era fatto da solo, chi glielo negava; ma mitizzava eccessivamente delle differenze di origine e di educazione che mi sembravano delle semplici sfumature nel grande mare della normalità borghese. Quello che mi dispiaceva è che Rocco, in questi accessi di orgoglio e rancore, perdeva di vista la singola persona a vantaggio di astrazioni sociologiche verosimili ma approssimative, come tutto ciò che riguarda l'umanità in generale. Mentre la vita delle singole persone, in quanto esseri mortali, è difficile senza distinzioni e certi vantaggi stabiliti dalla sorte possono rivelarsi degli ulteriori ostacoli, o risultare, a conti fatti, del tutto irrilevanti. Il bello di questi litigi con Rocco è che non servivano assolutamente a nulla: era impossibile convincerlo di qualcosa, e se a un certo punto desiderava riconciliarsi con la stessa urgenza che lo aveva portato a impugnare l'ascia di guerra, nessuna sapienza dialettica era abbastanza efficace da fargli cambiare idea. Una volta avevamo inventato un dialogo apocrifo di Platone, intitolato il *Rocco*, come il *Fedro* o il *Cratilo*, in cui il povero Socrate, con tutta la sua famosa maieutica, se ne tornava a casa con le pive nel sacco, sconfitto dalla sovrumana cocciutaggine dell'interlocutore. Quante volte Rocco avrà *fatto pace* con me, con Marco, con chi gli voleva bene? Solo dopo, con il passare del tempo, quando ormai non c'era piú, tanti di noi si sono resi conto che quelle polemiche, quei puntigli, quell'aggressività che esplodeva spesso propiziata dall'alcol, avevano a che fare con lo strato piú intimo e indifeso della natura di Rocco, erano un modo per occupare il centro dell'attenzione e chiedere quell'affetto di cui si sentiva sempre in credito. Non riusciva mai a percepire un voler bene silenzioso e privo di manifestazioni tangibili. E se il prezzo di ciò di cui piú aveva bisogno era il far sentire in colpa gli altri, ebbene, si sentissero in colpa!

È abbastanza facile capire che, mettendo anche i suoi libri, oltre che la sua persona, in questa difficile e chimerica arena affettiva, quello che aveva ottenuto dalla letteratura fosse ben lungi dal placarlo. E se non ci fossero state le vendite scarse, o qualche aria di degnazione che percepiva in questo o quel critico, sicuramente l'infelicità si sarebbe messa a covare altre uova. Noi pensiamo di essere infelici per qualche motivo, e non ci rendiamo conto che è proprio l'infelicità a produrre continuamente un suo teatro di cause che in realtà sono solo le sue maschere, e buona parte della nostra vita – speriamo non tutta! – trascorre alle prese con *problemi apparenti*: sentimentali, creativi, economici... Arrivato a questo punto devo mettere sul tavolo una carta che mi duole mostrare, ma che è troppo importante per la prospettiva stessa di questo racconto per rimanere nascosta. Garboli, nel suo grande saggio sulla vita di Antonio Delfini, ha scritto che in ogni amicizia c'è un rimorso. Ebbene, se questo è vero in generale nel mio caso il rimorso è grande come una montagna che getta la sua ombra su ogni parola che sto scrivendo, questa primavera del 2019, undici anni dopo la morte di Rocco. Vado al sodo: fu proprio durante uno di quei fine settimana a Nugola, nel quale forse avevo percepito con maggiore acutezza il fatto che Rocco in realtà mi ascoltava pochissimo, perché la cosa che gli premeva era esporre daccapo, un'altra volta, i suoi problemi, che è iniziato il mio distacco. Non era mai stato particolarmente facile comunicare con lui; ma adesso sembrava che dell'altro gli interessasse solo la sua capacità di attenzione, tanto piú passiva meglio era – la sua *fedeltà*, per usare una parola tipica del suo antiquato lessico morale. Già è difficile dare un buon consiglio; ma se chi ti parla vuole solo essere ascoltato, allora non c'è piú niente da fare. Ed è cosí che mi sono allontanato. Rocco apparteneva a una cerchia molto intima di amicizie, negli anni era diventato quello che si dice una persona di famiglia. In questo piccolo gruppo di persone sapevamo tutto gli uni degli altri, fin nei minimi dettagli addirittura fisiologici. Non eravamo piú di una ventina di persone, tra maschi e femmine, legati da una rete di conoscenze reciproche molto intime, come capita quando si è giovani e con qualcuno bisogna pure vuotare il sacco, o quasi. Non aveva senso rompere con Rocco perché non riuscivo a spiegarmi con lui, o perché a me, del successo dei suoi libri, come del successo di chiunque altro, non me importava nulla, considerandolo un fatto desiderabile in sé, ma del tutto casuale o dipendente da circostanze imperscrutabili. Siamo sempre rimasti uniti da un tono di confidenza. Ma anche in questa maniera dolce, passo dopo passo, senza mai accennare a un conflitto, ci si può allontanare moltissimo. Roma è una città particolarmente propizia a queste sparizioni nelle quali, paradossalmente, si finisce spesso per incontrarsi, perché si hanno gli stessi amici e si vive pur sempre nello stesso ambiente, ma qualcosa ha prodotto fra due persone una distanza siderale. Ero sicuro che sarebbe tornata una stagione di intimità – cosa che poi in qualche modo si è verificata. Ma Rocco non era di Roma, ed era una persona troppo vera per farmi passare liscia questa specie di *vacanza* da lui che avevo deciso di prendermi. Me ne chiese conto piú di una volta, mettendomi alle corde, esigendo una risposta precisa. E io lo esasperavo assicurandogli che gli volevo bene, che a volte i sentieri si distaccano per ricongiungersi piú avanti... cose anche ragionevoli, ma che di certo non erano una merce buona per lui. Era proprio questo il problema: non gli potevo rispondere perché non riuscivo piú a farmi capire, a montare sullo scoglio liscio della sua disperazione. Non mi ero accorto che Rocco stesse procedendo a passi cosí lunghi verso un'ombra piú scura delle altre, capace di trasformarlo in un soccombente. L'avversario che lo aveva sempre pungolato non aveva mai sferrato un attacco come quello che lo aspettava. E il continuare a bere, in quelle circostanze, fu un errore gravissimo: come spalancare le porte al nemico. Arrivò il momento in cui la distanza che avevo messo (senza mai confessarmelo pienamente) tra me e Rocco si era fatta tale da non averne piú notizie, se non vaghe, indirette. Dopo gli inutili tentativi di chiarimento non ci sentivamo piú nemmeno per telefono. E proprio nel momento del piú grave pericolo, ero cosí lontano da lui che devo fare un salto in avanti nella storia che sto raccontando, scavalcando il buco, lo strappo nel tessuto creato dalla mia colpa, e riprendere dall'altra parte.

Ma prima di parlare del capolavoro di Rocco, torno volentieri su Pia, la «signorina inglese»: una specie di Mary Poppins all'incontrario, per nulla pedagogica, dotata di pericolose riserve di incoerenza e suscettibilità stranamente amalgamate a una dolcezza del carattere che a volte erompeva in maniera commovente dai modi ironici e maliziosi. Ci eravamo conosciuti a Frosinone, un gelido giorno di dicembre del 1987. Era stato organizzato un convegno su Tommaso Landolfi, ideato in maniera diversa da quanto accade in queste soporifere e paludate occasioni, dove una serie di «esperti» si avvicenda al microfono leggendo delle interminabili relazioni mentre al pubblico non resta che pregare che il tempo passi in un modo o nell'altro, invocando segretamente un terremoto o un'invasione aliena che mettano fine allo strazio. Molto saggiamente, gli ideatori di quel convegno mischiarono nel programma a qualche professore di letteratura un'umanità piú variegata, priva di qualunque titolo accademico: talenti in erba di vario tipo che pubblicavano saggi e poesie su certe rivistine underground che ancora circolavano a quei tempi. Ne risultò, ancora testimoniato dal libro che se ne è ricavato, un caso piú unico che raro di vitalità e spontaneità che forse non sarà dispiaciuto all'ironico, aristocratico, impeccabile spettro di Landolfi. In tutto questo il ruolo di Pia consisteva in una relazione piú lunga delle altre sulle traduzioni dal russo del maestro. Bastarono i pochi giorni del convegno, e una gita alle mura ciclopiche di Alatri, per piantare i semi di un'amicizia che sarebbe durata tanto tempo. Si capiva subito che Pia era un essere bizzarro, assolutamente non conformista: un vero tesoro, nel deserto sociale e nella prigione delle buone maniere intellettuali. Tanto per dirne una, pur essendo impegnata in severi lavori di traduzione di vecchi testi religiosi, roba tipo la *Vita dell'arciprete Avvakum*, le piaceva scrivere di sesso, in modo molto disinvolto, vale a dire senza sfumare quando i suoi personaggi arrivano al dunque. Come tutte le persone intelligenti che si dedichino all'annoso problema di un equivalente verbale credibile del sesso, preferiva all'occasione modi che stavano piú dalla parte della pornografia che di quell'ipocrita erotismo da quattro soldi di tanti romanzi per signore che sono l'unico luogo al mondo dove i cazzi diventano «membri» e amenità del genere. Il decoro, con tutto il suo ricorso a una terminologia che non ha riscontro in nessun modo reale di parlare, è una delle forme piú insidiose della bruttezza e della velleità in letteratura, e Pia ne era molto piú consapevole della maggioranza delle sue colleghe. I sostenitori della superiorità dell'erotismo sulla pornografia si tramandano da secoli la stessa stantia stupidaggine, non corroborata da nessuna esperienza pratica: ovvero che la visione sfumata, indiretta, per cosí dire metonimica sia piú eccitante degli organi e del loro funzionamento. Ma quando mai? Dove vive certa gente? A parte il fatto che gli organi riproduttivi e i loro dintorni sono bellissimi, l'erotismo è solo censura ingentilita da luoghi comuni d'accatto. Pia, semmai, incarnava alla perfezione, in questi suoi primi tentativi, un atteggiamento filosofico, ovvero un modo di intendere la vita, che si potrebbe esattamente definire libertino. Il problema di questo tipo di scrittura è che le parole devono suscitare nel lettore un brivido di autentica lubricità. Immaginando a modo suo ciò che legge, si lascia in qualche modo corrompere: Sade è il maestro supremo di questa imbarazzante opera di suggestione. Se guardo un'immagine pornografica, avrò una reazione soggettiva, ma l'immagine rimane pur sempre quella. La scrittura è piú insidiosa, perché sono *io*, mentre leggo, a dare forma e vita a una suggestione puramente verbale. Questa collaborazione è una forma raffinata e suprema di masturbazione. Nei suoi primi racconti, confluiti in parte nel libro intitolato *La bellezza dell'asino*, Pia predilige spesso dei vecchi trucchi di repertorio sempre efficaci, come il finto diario o lo scambio di lettere, che creano l'illusione di spiare una confessione destinata a rimanere segreta, o rivolta a qualcuno in particolare. Ho riletto uno di questi racconti, intitolato appunto *Lettera a Titti*, in cui la protagonista, un'adolescente lasciata sola dalla madre a Milano durante le ferie d'agosto per preparare gli esami di riparazione, finge di essere una puttana per sedurre un uomo adulto visto dalla finestra. Il piccante non consiste solo in una lunga notte di sesso con lo sconosciuto (che sa benissimo che la protagonista non è affatto chi dice di essere), ma nel fatto che la relazione con l'amica a cui scrive l'avventura, come veniamo a scoprire proseguendo la lettura, è tutt'altro che innocente. Insomma, Pia presuppone che la destinataria fittizia del racconto sia disposta a eccitarsi leggendo le imprese da finta puttana dell'amica, e questo è un buon modo per orientare la reazione dei destinatari veri, cioè noi che leggiamo. Data questa premessa narrativa, il linguaggio guadagna franchezza e precisione: in questo genere di cose, piú la parola è semplice e confidenziale piú è efficace. Cito con piacere. «Bada che questo è un extra da centomila, lo avverto, e comincio a succhiarlo, pizzicandogli le palle, tirandogliele, leccandolo tutto intorno». E ancora. «Mentre mi viene in bocca mi sento venire anch'io. Lo sai che sapore ha? Sembra miele amaro di corbezzolo, solo la consistenza è diversa, qualcosa come quando si beve l'uovo crudo».

La protagonista del racconto di Pia è esattamente ciò che si definisce una «ninfetta». E anche il bellissimo titolo della prima raccolta, *La bellezza dell'asino*, che declina in chiave erotica il detto popolare, risente del «lolitismo» in cui Pia si trovò impaniata per lunghi anni, in quello che è stato sicuramente il progetto piú ambizioso e il piú doloroso fallimento della sua gioventú: la riscrittura del capolavoro di Nabokov dal punto di vista della sua protagonista. Temo di avere svolto in questo periodo il ruolo ingrato dello scoraggiatore. Lo desumo da certi passi delle lettere di Pia, in cui mi rimproverava di darle retta solo quando mi parlava dell'altro grande lavoro in cui si era impegnata, la traduzione dell'*Evgenij Onegin* di Puškin, dimostrando invece freddezza di fronte all'idea di rifare al femminile *Lolita* di Nabokov. A mio parere la sincerità, in letteratura, soprattutto quando si tratta di amici e persone care, è direttamente proporzionale allo stato di avanzamento nella confezione e nella pubblicazione del libro. Di fronte a un buco nell'acqua già in libreria, con la sua bella copertina e il suo codice a barre accanto al prezzo, che senso ha infierire? A quel punto l'amico, o la moglie, o l'amante vanno solo incoraggiati ed eventualmente consolati. È inutile criticare il latte versato. Invece, piú si procede a ritroso verso l'incompiuto e il rimediabile, quando ancora l'investimento psicologico ha margini di sicurezza, piú la sincerità può avere un ruolo addirittura salvifico, e non genera seri rancori. Ancora adesso credo di avere avuto ragione: la traduzione dell'*Onegin* è un capolavoro di leggerezza, lirismo, duttilità: un vero omaggio alla lingua italiana e ai suoi straordinari poteri mimetici; il *Diario di Lo* (uscito nel 1995) ha delle pagine molto belle, merita ancora di trovare qualche lettore curioso, non annoia. Gli ingredienti insomma ci sono tutti ma, come dice lo chef Cracco ai concorrenti terrorizzati di *Hell's Kitchen*, Pia non è riuscita a «chiudere il piatto». La ragione della mia ostilità risiede principalmente nel fatto che un romanzo cosí concepito non può che risultare opaco a chi non abbia letto il capolavoro di

Nabokov. Anche il fatto che il punto di vista diventi quello di Lolita invece che quello di Humbert nel suo memoriale, si può apprezzare solo a patto di conoscere l'originale. Questa *letteratura derivata*, che conta innumerevoli esempi, si basa insomma troppo sulla cultura del lettore, cosa che a mio parere gli impedisce di volare libero verso un'immagine credibile del mondo. In una lettera da Londra, su carta decorata da bellissimi profili di Ganesh e altre divinità indiane, Pia mi rimprovera di eccessivo idealismo, ma ancora oggi, quando leggo una pubblicità o una recensione di un libro del genere (l'ultimo che ho notato: l'*Iliade* raccontata dal punto di vista di Briseide) mi chiedo a cosa diavolo serva una fatica del genere. A onore di Pia, bisogna anche aggiungere che almeno, nella sua volontà di vedere la storia dal punto di vista di Lolita, non c'erano assurde pretese di un risarcimento «femminista» del personaggio, come oggi va tanto di moda. Ma i dispiaceri legati a questo libro provennero da circostanze esterne, e del tutto impreviste. Pia non aveva assolutamente pensato che *non si potesse* utilizzare un personaggio e una storia inventati da un altro – a meno che, come dice la legge, non fossero trascorsi settant'anni dalla morte dell'autore. L'industria culturale moderna ha esaltato in maniera fraudolenta l'*inventio,* che nella retorica antica ha un ruolo tutto sommato trascurabile, trasformando l'autore in un inventore di trame protetto dal copyright. E cosí accadde che il figlio di Nabokov, un noto cantante lirico, andò su tutte le furie di fronte alla riscrittura di Pia. L'edizione americana del libro venne sequestrata, o qualcosa del genere, e ne seguirono polemiche anche interessanti, ma per Pia spiacevolissime, perché urtavano il suo vivissimo sentimento della giustizia e dell'ingiustizia. Lei, trattata come una ladra! A suo parere, Nabokov aveva creato una mitologia, e i miti sono di tutti e di nessuno. Come non si può impedire a qualcuno di parlare come vuole degli amori di Zeus e Leda, o dell'astuzia di Ermes, cosí Humbert e Lolita, a parere di Pia, erano un patrimonio umano suscettibile di ogni forma di rielaborazione. Col cavolo, rispose Dmitri Nabokov: se vuoi farlo, caccia i soldi. Il sequestro americano angosciò e ferí Pia ben oltre i limiti di un normale incidente professionale. Non tollerava che si potesse attribuirle la minima ombra di malafede. Secondo Cataluccio, la delusione fu cosí bruciante da allontanarla dalla letteratura, o meglio dal ruolo di «autrice», e farle cercare altre strade. Il fatto è che in teoria Pia aveva ragione, ci dovrebbe essere piú libertà in queste cose, in fondo era stato solo l'amore per il presunto derubato a farle venire in mente l'idea. Aveva argomenti da vendere, ma la legge è legge, ed era inequivocabilmente contro di lei. Alla fine, le fu imposto un accordo che riteneva, a torto o a ragione, umiliante. E come sempre accade in queste circostanze, si sentí sola, senza capire che il suo era uno di quei casi che infiammano i diretti interessati ma su cui gli altri non hanno un granché da aggiungere.

Nell'inverno del 2002 ho ricevuto per posta il nuovo libro appena uscito di Rocco, con una dedica scritta nella sua grafia impeccabile, puntuta come una cresta dolomitica, e molto generica («In ricordo di Rocco»). Si intitolava *L'apparizione* ed era stato pubblicato in una serie molto elegante degli «Oscar» Mondadori, riservata alle novità. In copertina, un arcano profilo femminile di Odilon Redon. Ricordo di aver letto il libro un intero pomeriggio per finirlo poi di notte, tutto d'un fiato come si dice. Procedevo dominato dall'ammirazione e dal dispiacere per quello che aveva sperimentato Rocco negli anni in cui avevo preso il largo. Mentre leggevo quello che per comune consenso si può definire il suo capolavoro, constatavo la perfetta messa a punto di un metodo *allegorico* che è la caratteristica principale della prosa narrativa di Rocco. Conviene dedicargli qualche parola, perché sicuramente questo metodo è l'espressione della profonda originalità artistica di Rocco, e il motivo per cui un libro come *L'apparizione* merita senza dubbio di sopravvivere a chi l'ha scritto. Per comprendere quello che dico bisogna cercare di capire quale sia il senso di quel mondo cosí indeterminato, generico, virato in grigio che Rocco rappresenta sempre nei suoi libri. A un primo sguardo, si tratta di uno scenario normalissimo, contemporaneo, perfettamente riconoscibile in quanto tale. La genericità del lessico evoca palazzi, automobili, uffici, negozi, interni di case... E in mezzo a questo mondo di nomi comuni, sempre vagamente inafferrabile, ci sono, ovviamente, personaggi che interagiscono tra loro. È solo dopo un po' che ci rendiamo conto che quello che stiamo leggendo non è un romanzo come tanti altri. Perché quel mondo esterno, in realtà, non esiste se non nella mente del personaggio. O meglio, è uno spazio mentale, una proiezione, quella che gli indiani chiamano una ma-ya-. E certo, la ma-ya- è una magia potente, un attributo degli dèi. Il mondo ci inganna facendoci credere nella sua sussistenza, nel suo esistere al di fuori di noi – e lo stesso fa il romanziere. Ma in realtà, ciò che sembra agitarsi là fuori, si agita all'interno di una singola coscienza. Illusione essa stessa, la sua attività non smette di produrre illusioni. In altre parole, la coscienza racconta, e questo processo narrativo è essenzialmente un processo di differenziazione. Cosí come il candore della luce si scompone nello spettro dei colori, lo spazio mentale si suddivide in una pluralità di personaggi, che nei loro moti di attrazione e repulsione danno vita a una certa trama. Gli scrittori della tarda antichità e poi del Medioevo avevano addirittura un termine tecnico per designare questa specie di pluralità illusoria: *psicomachia*. La tipica psicomachia poteva essere una battaglia tra virtú e vizi: Lussuria duella con Castità, Avarizia con Carità, eccetera. Alla fine, il senso morale di questo tipo di opere è che tutte queste entità fanno parte di una sola realtà psichica, di un solo individuo, di cui ognuna personifica una caratteristica, un'inclinazione particolare. La somma di tutti i vizi e di tutte le virtú dà come risultato la singola anima del cristiano che lotta per la sua salvezza. Non c'è nemmeno bisogno di dire che nella narrativa di Rocco questo schema di rappresentazione sopravvive in modo puro, privo di qualunque finalità teologica e morale. Ma basta provare a leggere attraverso questa lente *Per il tuo bene*, il libro uscito postumo: non sono forse i due protagonisti, con le loro caratteristiche opposte e simmetriche, le due metà di un carattere che la storia cerca disperatamente di ricomporre, in una straziante lotta contro il tempo? In tutti i libri di Rocco, a partire da *Agosto*, mi sembra di poter riconoscere l'impronta dello stesso schema. L'apparire dell'altro non è l'epifania di una reale alterità, ma significa l'emergere di una parte nascosta, o rimossa, della coscienza.

Al centro del metodo di rappresentazione allegorico, dunque, sta il procedimento della *personificazione*. Non solo le potenze e le inclinazioni che si contendono il governo dell'individuo, ma ogni sorta di emozione, perturbamento, desiderio può essere raffigurato nelle sembianze di una persona. Nei termini della filosofia classica, l'immaginazione letteraria e artistica è autorizzata a trattare un *accidente* come se fosse una *sostanza*. Non altrimenti, nelle decorazioni plastiche delle chiese romaniche e gotiche, le virtú hanno l'aspetto di un gruppo di belle donne, e i vizi di individui laidi, spiacevoli alla vista. Queste figure cosí piene di significato ci assomigliano, e nello stesso tempo sono piú potenti e perfette di noi. Anche nel caso in cui esprimono un solo aspetto tra i tanti di un individuo, le loro sono le prerogative di dèi, o di demoni. Scrivendo *L'apparizione*, Rocco ha raggiunto il limite di efficacia di questa sua poetica conferendo l'aspetto di una specie di divinità, muta e sfuggente, al disturbo mentale che mina l'esistenza del protagonista. Ciò che è nato all'interno della psiche, viene immaginato nelle vesti di qualcuno che arriva dal di fuori e, appunto, *appare*. È un ragazzino dall'aspetto normale, vestito con una tuta da ginnastica, che si aggira in una casa di campagna e viene scambiato per un ladro. Quel ragazzino è la *mania* che si impossessa della sua vittima fino a condurla all'estinzione, in un crescendo tragicamente ineluttabile che consente, per essere riferito, solo l'uso della terza persona. Frutto di un lungo e stremante lavoro di lima, le pagine che descrivono questa teofania possono davvero considerarsi perfette. Rocco ci aveva messo tutto se stesso nel senso letterale dell'espressione. Si trattava dell'episodio fondamentale della sua letteratura *in quanto* era stato l'episodio fondamentale della sua vita, l'esperienza diretta di quel Tremendo che non era piú stato in grado, dopo tante resistenze, di respingere e differire. Viva e palpitante materia autobiografica, dunque: come negarlo? Ma anche teologia, nell'unico modo in cui l'immaginazione di un uomo d'oggi può praticarla, cioè realizzando la perfetta, ineluttabile identità del divino e del patologico. A questo proposito vorrei osservare che non conosco uno scrittore che abbia, piú di Rocco, messo a frutto la lezione artistica implicita in certi famosissimi saggi di James Hillman, nei quali i miti greci sono raccontati e interpretati alla luce della memorabile sentenza di Jung: *«gli dèi sono diventati malattie»*. Ricordo perfettamente, tra i libri che Rocco si era sempre portato dietro di casa in casa, sistemandoli nei suoi ordinatissimi scaffali, certi volumetti di Hillman quasi logori per l'uso intenso e ripetuto. E quando si trattò di raccontare il momento preciso in cui il cappio del delirio si era stretto intorno al collo del suo protagonista, a Rocco venne naturale rappresentare questo incontro distruttivo con il destino nei termini di un'apparizione divina, facendo di quello strano e silenzioso adolescente in tuta da ginnastica, che potrebbe essere scambiato per un semplice ladro, un dio o meglio, come avrebbe detto lo stesso Hillman, un dio incapace di portare salvezza, un archetipo *malato*.

Le scarse e imperfette notizie che in quel periodo mi erano arrivate di Rocco coincidevano alla perfezione, come ho accennato, con la storia raccontata nel libro. Come il protagonista dell'*Apparizione*, Rocco aveva attraversato una catastrofica crisi maniacale, una specie di prolungato delirio in cui aveva creduto di amare una donna e che lei ricambiasse questo amore immaginario con la stessa folle intensità. Il suo matrimonio con Samantha non aveva resistito all'urto, e dovette curarsi seriamente per sopravvivere, continuare a lavorare, rifarsi da zero una vita accettabile. Avevo terminato *L'apparizione* a tarda notte, ed ero impaziente che arrivasse il giorno dopo per chiamarlo al telefono, annullando la distanza che si era creata tra le nostre orbite. Ritrovarsi in quel modo è stato bello per tutti e due. Gli avevo detto che, mentre leggevo, mi era venuta in mente l'immagine poetica del naufrago di Dante che, raggiunta la riva «con lena affannata», contempla il mare in tempesta e il pericolo scampato per un soffio. A Rocco piacque il paragone, e con la sua solita puntigliosità mi citò esattamente la terzina del primo canto dell'*Inferno*. Accanto a una breve frase della *Guida della Grecia* di Pausania («Per gli esseri umani solo la realizzazione dell'amore vale la vita») come epigrafe all'*Apparizione* si legge una lunga citazione del celebre e autorevole nonché famigerato DSM, ovvero il *Diagnostic and Statistical Manual of Mental Disorders* dell'American Psychiatric Association. Si tratta della definizione dell'episodio maniacale, «periodo durante il quale vi è un umore anormalmente e persistentemente elevato, espanso o irritabile». A questa condizione si accompagna spesso «un aumento della libido», e la tendenza dell'individuo a intraprendere «diverse nuove avventure senza curarsi dei rischi apparenti o della necessità di completare in modo soddisfacente ogni avventura». La lettura dell'*Apparizione* mi aveva riempito di gioia in base al presupposto che, se sei in grado di raccontare un tale disordine, una tale catastrofe, in qualche modo ti sei salvato. Qualcosa si era rifiutato all'identificazione totale con il male, e in questo rifiuto c'era il germe di un punto di vista, e dunque di una storia. Chiesi a Rocco se interpretava la scrittura del libro come una specie di guarigione. Mi rispose di aver pensato a una cosa del genere non tanto durante la stesura, ma adesso che era stato pubblicato, diventando un manufatto con il suo prezzo e la sua copertina – un oggetto che in fin dei conti si poteva comprare, regalare. Si era reso conto di non essersi mai spinto cosí avanti nel territorio selvaggio della verità. A parte una manciata di pagine all'inizio e alla fine, che pagano il loro tributo a una costruzione romanzesca e sono le meno interessanti, la maggior parte del libro consiste in un referto spietato di un caso di *mania*. L'uso della terza persona (il protagonista si chiama Iano) non fa che rendere ancora piú lucidi e netti i contorni di un mondo interiore che va in frantumi a tappe forzate, senza la possibilità che intervengano rimedi autentici ed efficaci. Convinto di vivere una grande storia d'amore che in realtà esiste solo nella sua mente, Iano distrugge da capo a fondo la sua esistenza, come se la sua concretezza non fosse stata che un'illusione, una sottilissima parete di carta che lo aveva separato provvisoriamente dalla follia e che bastava un soffio per buttare a terra. Angosciosa e implacabile nelle sue tappe, la patografia che ne risulta è una lettura indimenticabile, e un risultato artistico di prim'ordine. Rocco era consapevole che l'esperienza, di per sé, non è che una materia amorfa, priva di dimensioni, esteticamente irrilevante. Una volta che hai doppiato a nuoto il tuo Capo Horn, di qualunque cosa si tratti, il lavoro è ancora tutto da iniziare. Nell'*Apparizione*, l'elaborazione artistica inizia proprio nel momento in cui l'anatomia della follia cerca una strada diversa da quella del linguaggio psichiatrico. La citazione del DSM suona quasi antifrastica rispetto alle intenzioni e alla strategia di Rocco. Non è che la letteratura sia piú «elegante», o piú «metaforica» della psichiatria – meno che mai le si può attribuire d'ufficio un maggiore grado di autenticità o profondità. Vale piú mezza pagina di uno scritto minore di Freud di intere biblioteche di romanzetti intimisti. E nemmeno si può dire che sia una questione di competenze, di orizzonte culturale. Ma una differenza esiste, e si potrebbe dire che è una delle chiavi piú importanti dell'opera di Rocco, considerata nel suo complesso. La psichiatria, che è un modello di conoscenza che ha lo scopo di formulare diagnosi e stabilire terapie, per essere efficace deve astrarre, ridurre la molteplicità dei casi e dei sintomi a delle costanti, creare delle definizioni: isteria, paranoia, depressione, episodio maniacale... Al contrario, la letteratura deriva la sua stessa ragion d'essere dal rifiuto di ogni generalizzazione: è sempre la storia di *quella* persona, murata nella sua unicità, artefice e prigioniera della sua singolarità. E dunque la letteratura, se parla di una malattia, non potrà che trasformarla in una *malattia senza nome*, l'unica che si possa commisurare degnamente a quell'irripetibile intreccio di destino e carattere, contingenza e necessità che dà vita a un personaggio.

Durante quella lunga telefonata sull'*Apparizione*, è accaduto un fatto che mi è sempre rimasto nella memoria, senza che tuttavia io sia in grado di attribuirgli un significato. Era ancora inverno e il sole calava presto. Mentre ascoltavo la voce di Rocco, per caso, guardando fuori dalla finestra, mi è caduto l'occhio su un uccellino sospeso a mezz'aria nella luce del tramonto. Per un tempo brevissimo, ma significativo, mi aveva colpito il fatto che se ne stesse lí fermo, come oggi potrebbe fare un drone. Aveva dato due ultimi colpi d'ala, e poi era precipitato giú a peso morto, come se fosse stato colpito da un infarto, o trafitto da un dardo invisibile scagliato da qualche spirito cacciatore della sera. Di fronte a cose cosí strane, tutte le spiegazioni appaiono piú o meno verosimili ma mai del tutto affidabili alla mente che vorrebbe solo accantonarle, dimenticarle. Stavo per interrompere Rocco e informarlo di quello strano evento, un uccellino stramazzato in pieno volo, ma un istinto successivo mi disse di tenermi la cosa per me. Se era un presagio, non era per forza infausto. Un'intuizione repentina mi aveva portato a interpretare la scena come se l'uccellino fosse una specie di capro espiatorio, che si caricasse definitivamente su di sé tutto il male patito, lasciandoci liberi di goderci la vita che ci restava. Ma a parte i capri espiatori, sempre difficili da riconoscere, di una cosa sono sicuro: tra le tante fortune della mia vita, una delle piú grandi e inestimabili è l'aver potuto recuperare e godere l'amicizia di Rocco ancora per qualche anno, fino a quando la sorte ce l'ha strappato via non meno rapidamente di quell'uccellino: averlo ritrovato, essere riuscito in qualche modo, sicuramente imperfetto, a esprimergli quanto gli volevo bene.

C'è un tipo di saggezza che consiste nell'aspettare la verità come un eremita nel deserto, murato tra le proprie abitudini, insensibile alla mutevole varietà del mondo. Può essere: ma Pia era di tutt'altra razza: cavalleria leggera. Mentre si leccava una ferita, era già risalita in groppa. La sua forma di resistenza, o di salvezza, consisteva nel mutare orientamento, facendo fibrillare l'ago della sua bussola alla ricerca del nord che le serviva. Libera da preoccupazioni economiche, poteva chiudere molti capitoli, come quello di consulente della Garzanti o quello della professoressa di letteratura russa. A quarant'anni, nutriva preoccupazioni da adolescente e conservava intatta, come un capitale al quale non poteva rinunciare, la sua predisposizione innata all'esperimento. Se aveva un'immagine di sé, non era ancora abbastanza definita da rappresentare un qualsiasi vincolo. La sentivo sempre piú vicina nell'indeterminazione. Viaggiava molto, continuando a esercitare la sua curiosità per la bizzarria umana e, se se ne presentava l'occasione, arricchiva con nuovi esemplari la sua collezione di «vermi». In una lettera dell'estate del 1995, poco dopo il matrimonio di Rocco, mi descrive una sera passata in uno strano club di Londra in compagnia di un amico con una grande gobba, del proprietario del locale con «un gigantesco e mostruoso naso a spugna», e una strana donna affetta da balbuzie spastica. A volte, commenta, ho l'impressione di essere come l'Alice di Lewis Carroll. In un'altra, entusiasta per la scoperta, mi ringrazia di averle prestato una mia copia sbrindellata di *Menzogna romantica e verità romanzesca* di René Girard – quel famoso e geniale libro sul desiderio come imitazione del desiderio altrui. Si era portata dietro il libro di Girard visitando una foresta sul Baltico, piena di emozionanti, fiabeschi riflessi violacei. Ho ritrovato anche un biglietto che accompagnava l'invio di una scatola di biscotti fatti da lei, in cui mi chiedeva perdono di qualcosa che non ricordo: non riesco a immaginare un gesto scortese di Pia, o un motivo di dissidio, tanto che mi viene il sospetto che quel foglio sia finito per errore tra le mie carte, e che le scuse e i biscotti fossero per Rocco, che sarebbe stato capace di offendersi anche con Bambi. Nel gennaio del 1996 intanto era uscita da Marsilio, in una collana diretta da Vittorio Strada, la sua traduzione dell'*Onegin*, in versi liberi di straordinaria leggerezza, pieni di tutte le migliori qualità di Pia: la malizia, l'intelligenza scintillante, il brivido metafisico al punto giusto. Qualità umane o letterarie? Vai a distinguere: i capolavori sono sempre, in un modo o nell'altro, delle *secrezioni organizzate*, come se un corpo fosse capace di sudare cristalli o coriandoli, al posto delle solite banali e informi gocce. E quella di Pia, pur rimanendo una traduzione il piú possibile fedele e ragionata del poema di Puškin, è, come ho già detto, un capolavoro della lingua italiana. Non a caso in una memorabile, vorrei dire epica recensione apparsa su «Nuovi Argomenti» (trenta pagine dattiloscritte!), Edoardo Albinati tentò una sintesi del carattere della traduttrice che vale sia sul piano dello stile che su quello della psicologia, ammesso che sia possibile distinguere: «per tradurre *Onegin* bisogna almeno essere lievi, ribelli, fatui, coraggiosi, profondi, svelti, un po' scervellati, e molto minuziosi». D'altra parte Pia, uscita cosí scornacchiata dal penoso *affaire Lolita*, si è goduta scarsamente quell'alloro, pur avendo profuso nel lavoro energie preziosissime e sovrabbondanti. Solo di recente, riprendendo in mano la mia copia, consunta da innumerevoli riletture totali o parziali, mi sono reso conto di essere citato in una di quelle note di ringraziamento che si mettono all'inizio o alla fine dei lavori. A parte gli studiosi di russo che avrà interpellato per ragioni tecniche, sono nell'ottima compagnia dello stesso Albinati, e del grande Ottiero Ottieri. In cosa avrò potuto aiutarla? Se mai le ho suggerito una virgola o un sinonimo, non sapendo una sillaba di russo, sarà stato in funzione di un perfezionamento del ritmo e della sua indiavolata velocità. L'italiano di Pia si trasformò esattamente in quello che in fisica si chiama materiale conduttore, disposto a farsi attraversare dall'elettricità dell'originale. Il piú macroscopico problema di traduzione dell'*Onegin* è sempre stato quello della voce narrante: perché ogni mediazione è eliminata, e l'autore parla direttamente ai lettori senza nascondersi dietro una qualsiasi maschera: è proprio lui, Aleksandr Puškin, il grande poeta, che ci racconta la vita del suo amico Onegin. Dunque il traduttore deve appropriarsi di questo invadente fantasma, capace di sperimentare tutti i toni, dal comico al tragico passando per il grottesco, l'onirico, il filosofico... Credo comunque che quel ringraziamento si riferisse piú alla complicità (che avevo negato al progetto di riscrittura di *Lolita*) che a qualche mio consiglio particolarmente utile. Mi ricordo che mi mandava le stampate dei vari capitoli, una volta terminati – permettendomi cosí di leggere il romanzo proprio come i contemporanei di Puškin, visto che l'*Onegin* fu pubblicato a puntate. Usava quella carta opaca delle stampanti di una volta, con le due file di buchi ai lati, e non riuscivo mai a trasformare quei plichi in una piú comoda piletta di fogli perché regolarmente un verso delle strofe di Puškin cadeva sulla linea tratteggiata. C'è un dettaglio che mi sembra significativo dal punto di vista psicologico: Pia mi ha detto una volta che per lei la vera «scena madre» del libro andava riconosciuta in un episodio del capitolo VII, quando Tat'jana, ancora innamorata di Onegin, alla quale attribuisce una luciferina grandezza, sfogliando i libri della sua biblioteca scopre che il carattere del giovane dandy è totalmente modellato sui libri di Byron e su qualche altro romanzaccio «in cui si rispecchia l'epoca». I segni tracciati da Onegin sul margine delle pagine gli rivelano la natura artefatta e imitata del suo carattere, impietosamente definito «una riedizione di capricci altrui,/un dizionario completo di parole alla moda», e dunque «una parodia». Tra tutte le scene del grande romanzo, questa disillusione cocente e repentina in effetti sembra anche a me il cuore dell'ingranaggio. Volendo adottare il lessico amoroso di Pia, si potrebbe dire che, se Onegin si era comportato come un «verme» nei confronti di Tat'jana, per lei rimaneva la consolazione che si trattasse, perlomeno, di un «verme» eccezionale, grandioso. E l'incanto finisce nel momento in cui scopre che in realtà Onegin non è altro che una pallida copia, un abborracciato compendio di vizi altrui, di comportamenti copiati dai libri come potrebbe fare qualunque signorina di provincia. La rivelazione fa di Tat'jana una persona libera, ma non per questo è meno amara, perché ogni perdita d'innocenza aumenta in noi il senso desolante dell'estraneità di quel mondo che l'anima si ostina a scambiare per la propria casa. Rileggendo le strofe del capitolo, mi è impossibile non pensare a quante volte, e in quante imprevedibili maniere, Pia deve essersi imbattuta in simili delusioni, tanto piú dolorose quanto piú la sua anima limpida e sensibile aveva ribrezzo di ogni posa artefatta, di ogni scadente imitazione.

Negli ultimi anni della sua vita, Rocco viveva a Monteverde Vecchio e insegnava nella sezione femminile del carcere di Rebibbia. Strinse delle grandi amicizie con gli altri inquilini della palazzina di via Lorenzo Valla, una di quelle vie placide e signorili in cima all'altura, dove i villini liberty circondati dai loro giardinetti si mischiano armoniosamente alle palazzine moderniste degli anni Trenta. Ironia della sorte, l'intero condominio, se non ricordo male, apparteneva a un luminare della psichiatria. I suoi vicini divennero una specie di famiglia. Lui abitava al primo piano e l'appartamento, non piccolo per una persona sola, aveva accesso a un bel cortile interno, quasi un giardino. Col riannodarsi della nostra relazione, mi ero fatto rapidamente un'idea sintetica della situazione: Rocco aveva trovato un modo di tenersi alla larga dai guai grossi; l'infelicità e la gioia di vivere avevano ripreso il loro ritmo accettabile di sistole e diastole. Dopo il disastro della crisi maniacale, o apparizione che dir si voglia, si era imbarcato in altre storie d'amore: Rocco era un animale erotico, a malincuore passava dei periodi da solo, e trascorse la maggior parte della sua vita adulta impegnato nelle sue tempestose relazioni. Cambiò anche lo schema della ragazza di buona famiglia, a un certo punto: e ho sempre pensato che questa nuova persona (di origini *oscure* come le sue, per usare un suo modo abituale di dire) fosse la piú adatta a vivergli vicino che avesse incontrato. Non è che tra me e Rocco le cose fossero tornate esattamente come erano prima. Quella mia distanza, quel mio rifiutargli sul piú bello la famosa *fedeltà* che pure mi aveva chiesto con tanta urgenza nel momento del bisogno, avevano prodotto il loro inevitabile effetto. Ci volevamo bene, ma io non gli avevo voluto, o non gli volevo, *abbastanza* bene. Detto questo, si verificò una circostanza imprevista che mi permise di riacquistare per qualche anno – fino alla fine – una consuetudine quasi quotidiana con Rocco e nello stesso tempo di osservarlo dall'esterno, da una posizione defilata. Mi spiego. Casualmente una sera gli avevo fatto conoscere Chiara Gamberale che era diventata immediatamente la sua principale confidente e consigliera. A quei tempi io e Chiara eravamo sposati, e questo significava che mi ritrovavo, dopo tanti anni di lontananza, Rocco in casa un giorno sí e l'altro no – ma non era me che cercava. Era a Chiara che veniva a raccontare i fatti suoi – quell'interminabile tela di problemi, di amarezze, di propositi assurdi. Se ne stavano in cucina interi pomeriggi, avvolti in una densa nuvola di fumo, esercitandosi nell'arte impossibile di capire la vita. Poi, se rimaneva a cena dopo quelle lunghe sedute in confessionale, mi accompagnava a fare la spesa e a portare a spasso il cane, e parlavamo del piú e del meno, magari anche di argomenti personali, perché cosí avevamo sempre fatto e l'essere persone di famiglia era un fatto naturale per noi, ma con un certo distacco, senza la confidenza di una volta. Cosí, se prima avevo voltato le spalle a Rocco con la sensazione che non ascoltasse piú nemmeno quello che avevo da dirgli, adesso era lui a parlarmi molto meno di sé, accontentandosi di rimanere a guardare un film o una partita con me dopo aver riversato nelle pazienti orecchie di Chiara tutti i segreti che aveva bisogno di tirare fuori. Mi tenevo alla larga da quei conciliaboli. L'essere diventato un personaggio secondario della sua vita mi permetteva – come è abbastanza naturale – di volere bene a Rocco in maniera piú gratificante per entrambi, e anche quando litigavamo, perché Rocco era rimasto quel grandissimo artista del risentimento che era sempre stato, sembrava piú un gioco risaputo che altro. A volte si rendeva conto di aver condotto il suo puntiglio spagnolesco oltre il limite di tolleranza, e lui per primo ci rimaneva male. Avevamo escogitato, senza mai parlarne apertamente, un piccolo rito di pacificazione, per andarcene a dormire tranquilli. Prima di tornare a casa, mi accompagnava a fare un giro dell'isolato con il cane. «Sai» iniziava accennando a scusarsi, «con il *carattere di merda* che ho sempre avuto...»

Sarebbe potuta andare cosí, a quel punto, fino alla vecchiaia: nella dolcezza, nel rintoccare delle abitudini. Rocco avrebbe scritto sistematicamente i suoi cupissimi libri, si sarebbe sempre lamentato di qualcosa, avrebbe resistito all'assedio da una posizione piú vantaggiosa: come sempre accade a chi invecchia e finisce in qualche modo per spuntarla su se stesso. E invece non è successo niente di tutto questo, sulla tela della sorte era ricamato un altro disegno, tragico e insensato. Che cos'è un *incidente*? Senza alcun dubbio, qualcosa di refrattario a ogni forma di racconto. Libero dal vincolo della necessità, gratuito, imprevedibile, accade non smettendo però di ricordarci che poteva benissimo non accadere. È la punta dell'ago che fa scoppiare in un attimo il pretenzioso palloncino gonfiato della vita: con tutte le sue stagioni, i suoi faticosi processi di apprendimento e adattamento. Puro *nonsense*. C'è un personaggio minore dell'*Odissea* che mi ha sempre commosso, un compagno di Ulisse chiamato Elpenore. Appare nel poema giusto il tempo di uscirne in modo catastrofico poche sillabe dopo. Liberi dai sortilegi di Circe, i Greci sono finalmente pronti a riprendere il mare. Elpenore viene richiamato mentre dorme dopo i festeggiamenti, smaltendo la sbronza sul tetto di una casa. Si sveglia, ma non ricordandosi dove si era sdraiato, invece di usare la scala precipita dal tetto e muore sul colpo. Splaf – come un fumetto. Hai partecipato alla guerra di Troia, hai seguito Ulisse in tutte le sue traversie, navigando su mari scossi dalla collera del dio del mare in persona, e vai a finire cosí. Non c'è nemmeno il tempo di piangerlo, il povero Elpenore. Bisogna ripartire prima che quella vecchia pazza di Circe ci ripensi. Elpenore è un grande tocco d'artista di Omero. Perché nessuno piú di lui incarna l'*umano*. Capita agli uomini di uscire all'improvviso dalle loro storie per una momentanea, irrisoria distrazione, una minuscola sfiga. Qualcosa che non c'entra nulla e prevale su tutto il resto. Da quel momento, l'onda d'urto dell'assurdo procede a ritroso investendo tutto il passato, fino al primo giorno.

Tanto lo vedevo di frequente, che non ricordo l'ultima volta. Sarà venuto a vedere una partita, mi avrà accompagnato a passeggiare con il cane. Ricordo bene invece l'ultima volta che ci ho parlato al telefono, il pomeriggio del 17 luglio 2008, poche ore prima che morisse, schiantandosi con il motorino su una macchina parcheggiata in doppia fila, a pochi metri dall'impassibile statua equestre di Giorgio Castriota Scanderbeg, in piazza Albania, ai piedi dell'Aventino. Era appena tornato a Roma dopo aver passato due settimane in America, da amici di Providence – una vacanza felice, a quanto pareva. All'inizio della telefonata Rocco mi aveva detto una cosa tipica del suo carattere e del suo modo di esprimersi: «Hai fatto bene a chiamarmi». Mi aveva fatto sorridere. Voleva dire che una volta tanto, io che su quel fronte ero sempre colpevole, avevo rispettato il suo infallibile Codice dell'Amicizia che in un certo comma imponeva di telefonare a chi fosse tornato da un lungo viaggio, per chiedere com'era andata. Avevamo addirittura deciso di vederci, e andare a cena noi due soli al Biondo Tevere, un ristorante molto popolare sulla via Ostiense, con una bella terrazza sul fiume, famoso anche perché fu l'ultima tappa in cui i testimoni videro ancora vivo Pier Paolo Pasolini, la notte del suo assassinio all'Idroscalo. Qualche mese prima, ero stato proprio io a suggerire a Rocco di scrivere una specie di reportage su quel luogo, circa a metà strada tra la piramide di Caio Cestio e la basilica di San Paolo, per le pagine romane della *Repubblica*. Ne era venuto fuori un pezzo molto bello, che oggi si trova appeso in cornice – quasi come una reliquia – su una parete del ristorante. Ma poco prima dell'ora di cena, Rocco si rifece vivo con un SMS: si era ricordato di un altro impegno, dovevamo rimandare la cena all'indomani, sarebbe andato da Carola Susani, una delle sue amiche piú intime, credo per un compleanno o qualcosa del genere. Se non fossero impregnate in maniera cosí mostruosa di fatalità, avrei dimenticato tutte queste inezie nel giro di qualche ora, compresa quella frase – «Hai fatto bene a chiamarmi» – che alla cruda luce dei fatti acquista tutto un altro peso e un altro significato. E poi, anche se nulla può spiegarli, i presentimenti esistono, altroché. Come dicevo, Rocco aveva rimandato la nostra cena. Poco male. Volendo approfittare della splendida luce calante della sera di luglio, sono sceso con il cane nel parco sotto casa, accomodandomi su una panchina a fumare una sigaretta, dopo aver ordinato qualcosa da portarmi su in un ristorante cinese. Perché continuavo a pensare tanto a Rocco, quella sera, mentre trascorrevano le sue ultime ore in questo mondo? Se ci rifletto, ancora adesso che ne scrivo, tanti anni dopo, mi vengono i brividi. Quella settimana di luglio vendevano in edicola un libretto, un racconto di Hemingway con il testo in inglese a fronte, *La breve vita felice di Francis Macomber*. Osservavo senza staccare gli occhi il manifesto che pubblicizzava il racconto sulla serranda di un'edicola ormai chiusa. E a forza di ripeterlo senza motivo, avevo trasformato il titolo di Hemingway in una di quelle filastrocche ossessive che si insediano nella mente senza ragioni apparenti, per sparire come sono arrivate dopo un certo tempo. *La breve vita felice di Rocco Carbone*, continuavo a ripetermi. *La breve vita felice di Rocco Carbone.* Era esattamente lo stesso numero di sillabe del titolo di Hemingway. Che restavano tali, in virtú di una elementare elisione di vocali, ben nota a chi scrive poesie o canzoni, anche trasformando *felice* in *infelice*. E dunque: *La breve vita infelice di Rocco Carbone*. Felice, infelice. Breve. *La breve vita (in)felice di Rocco Carbone*. Piú ripeti una parola, piú diventa l'equivalente del suo contrario. Come se la ripetizione svelasse il trucco, ricordandoci che non esiste nessuna parola adeguata al casino indecifrabile della vita umana, al suo perenne fallimento. Il racconto di Hemingway, ambientato in Africa, è una specie di parabola morale, la storia di un uomo che, come Rocco, difficilmente potrebbe essere collegato all'idea di «felicità». Eppure, Francis Macomber realizza se stesso e acquista la sua piena dignità poco prima di morire in un incidente di caccia. È come se il velo dell'infelicità, appena prima della fine, cadesse a terra mostrando nuda la piú enigmatica, impalpabile, sfuggente delle divinità: la vita felice.

Scrivere di una persona reale e scrivere di un personaggio immaginato alla fine dei conti è la stessa cosa: bisogna ottenere il massimo nell'immaginazione di chi legge utilizzando il poco che il linguaggio ci offre. Far divampare un fuoco psicologico da qualche fraschetta umida raccattata qua e là. Il dizionario del volto, per esempio, è di una povertà cosí sconfortante («occhi», «naso», «bocca»...) che a volte ci si arrende prima ancora di iniziare. Che differenza c'è tra la Pia Pera registrata all'anagrafe di Lucca il 12 marzo del 1956 e la Tat'jana di Puškin? Dal punto di vista del linguaggio, sono solo due pupazzetti fatti di scampoli lisi e fil di ferro, un ciuffetto di crine per i capelli, due bottoni spaiati per gli occhi. Se in qualche anfratto della mente fraterna e sconosciuta di un lettore riusciranno ancora a prendere un'effimera parvenza di vita, a sorridere o a rabbrividire per il freddo, rialzando il bavero del loro cappottino di stracci... questo è proprio ciò che definiamo lo spirito, ovvero la possibilità che la nostra esistenza, che trascorre tutta intera nella carne e nei suoi bisogni, possieda anche un'ombra, una quintessenza che la porti fuori da se stessa. Perché noi viviamo due vite, entrambe destinate a finire: la prima è la vita fisica, fatta di sangue e respiro, la seconda è quella che si svolge nella mente di chi ci ha voluto bene. E quando anche l'ultima persona che ci ha conosciuto da vicino muore, ebbene, allora davvero noi ci dissolviamo, evaporiamo, e inizia la grande e interminabile festa del Nulla, dove gli aculei della mancanza non possono piú pungere nessuno. Di una cosa sono sicuro: mentre scrivo, e fintanto che me ne sto seduto a scrivere, Pia è qui, la sua presenza è ingombrante come quella del tavolo, o della lampada. Se invece penso a Pia, ci sono solo io che la penso, è tutto nella mia testa, all'altro capo del filo c'è solo un'assenza. E se la sogno, è la stessa cosa, è un'altra parte del mio Io che sta creando la sua Pia. Ne deduco che la scrittura è un mezzo singolarmente buono per evocare i morti, e consiglio a chiunque abbia nostalgia di qualcuno di fare lo stesso: non pensarlo ma scriverne, accorgendosi ben presto che il morto è attirato dalla scrittura, trova sempre un suo modo inaspettato per affiorare nelle parole che scriviamo di lui, e si manifesta di sua propria volontà, non siamo noi che pensiamo a lui, è proprio lui una buona volta. Certo, la natura di queste manifestazioni dipende dai singoli casi. La presenza di Rocco ha rapidamente preso la forma di un'antica consuetudine, di un cameratismo ironico e competitivo. Quella di Pia è di natura diversa: piú timida e imbarazzata, come se fosse contenta delle mie intenzioni, ma nello stesso tempo mi chiedesse di non tirare somme affrettate, proprio come tante volte mi chiedeva quando era viva, e di guardare con piú attenzione qualcosa che, evidentemente, non ho voglia di guardare ed è connesso non a questo o quell'episodio o periodo, ma all'ingranaggio segreto, ovvero al modo in cui si è formato il suo destino, cancellando progressivamente ogni altra possibilità, fino alla sua configurazione definitiva. Io e te, non smette mai di ripetermi Pia, siamo stati in confidenza, una lunga e reciproca confidenza era la tonalità fondamentale della nostra relazione. Sicuramente è stato un bene, una consolazione in questo mondo cosí difficile da decifrare, cosí pieno di forze ostili e disintegranti. Ma la confidenza tra maschi e femmine è cieca, sa solo quello che vuole sapere. Oltre un certo limite, Pia mi continua a sfuggire, come se non fossi piú in grado di riconoscere la parte del tutto che c'è in ogni minimo dettaglio. Posso solo dire che ai miei occhi Pia è stata sempre un essere incantevole, questa è la parola che sento piú vicina a lei, «Pia» e «incantevole» per me sono quasi sinonimi. Tutto ciò che è incantevole produce una specie di perpetuo scintillio, e le persone incantevoli spesso si consumano e infine si dissolvono nel loro sciame vorticante di minuscole luci.

Piú la conoscevo, o credevo di conoscerla, piú Pia mi sembrava distaccata da una concezione comune del tempo. Per tutti noi, voglio dire, c'è un tempo evidente, che è quello in cui prendiamo forma e veniamo consumati, seguendo una direzione irreversibile, come una pallina su un piano inclinato. Ma esiste anche un tempo meno percepibile e non misurabile in giorni o anni, nel quale non facciamo che spendere energie puramente negative, necessarie a respingere oscure minacce, a ricercare un instabile equilibrio tra forze contrarie, a fuggire da ciò che i nostri genitori hanno desiderato per noi. Non ce ne accorgiamo nemmeno, eppure, quando ci sentiamo stanchi, non dovremmo pensare solo a ciò che abbiamo fatto, ma all'oscuro lavoro di sottrazione e rinuncia che ci costa la nostra stessa consistenza, nella veglia e nel sonno. Credo che avessero ragione gli antichi filosofi che supponevano uno strato della nostra anima in comune con altre specie di esistenza, una dimensione «vegetativa» del nostro essere che tende a sfuggire alla coscienza come l'attività di un organo involontario. L'individuo che recupera alla sua consapevolezza questa forza negatrice, questo potere cieco di pura persistenza, questo ritmo stagionale di espansione e contrazione, riconoscendosi per questa via intuitiva in ogni fenomeno della vita cosmica, non considerandosi molto diverso da un cane randagio, da una venatura del marmo, da un cespuglio di rosmarino, ha ottenuto qualcosa di molto simile alla salvezza. Invece di rinunciare all'egoismo (come se fosse possibile!) lo ha attraversato fino in fondo, ed è sbucato nella libertà senza bisogno di abiurare nessuna maschera indossata in precedenza. Questa è stata la strada di Pia, e questa strada conduce a qualcosa che è insieme metafisico e fisico al grado supremo: un giardino. È un'idea che si può calpestare, che lascia tracce sulle scarpe. In un giardino, ciò che pulsava nel buio, la forza oscura e caparbia che si consuma resistendo alla morte, affiora alla luce. La freccia e il circolo trovano il loro punto di identità. Quando immagino Pia nel suo giardino, una cesta di vimini in una mano e una piccola zappa nell'altra, non mi viene in mente solo un essere umano che rende vivibile o addirittura bello uno spazio estraneo. Quella che mi si fa incontro è un'immagine della totalità della vita, un'immagine che racchiude in sé ciò che è possibile sapere e ciò che non si può sapere, il giorno e quella parte della notte che, come nelle sonate di Chopin, non diventa mai la luce dell'alba, non passa, permane.

Ho detto all'inizio di queste pagine che nei venticinque anni che l'ho conosciuto l'aspetto esteriore di Rocco era cambiato ben poco. E dentro, era accaduto qualcosa? Tiranneggiata com'è dalla ripetizione, la nostra vita ha ben poche possibilità reali di evoluzione, meno ancora di guarigione. Semmai, la capacità piú auspicabile è quella di arrendersi a se stessi, perché una parte consistente del dolore che si prova dipende dalla volontà di rimediare all'irrimediabile e dunque di avvelenare quello che è con quello che potrebbe essere. Proprio per questo motivo credo che gli ultimi anni di Rocco siano stati i migliori della sua vita – quelli in cui il suo sforzo di adattamento, in generale cosí infruttuoso, è stato coronato da qualche successo. Il suo sguardo si era *addolcito*. Si era circondato di persone che lo capivano, oppure si sentiva capito, che è la stessa cosa. Tutto ciò è stato colto alla perfezione da Chiara, in un articolo che ha pubblicato poche ore dopo la sua morte, dal quale voglio citare alcune righe che hanno la precisione di una fotografia. «In un universo letterario chiuso e asfittico come quello italiano, Rocco, per come era fatto, si era circondato solo di persone come lui. Che erano in realtà moltissime. Diverse da tutto, nel bene e nel male. Strutturalmente incapaci di stare al mondo: e consapevoli di questo al punto di prenderla a ridere. Affaticate dagli altri e per gli altri piuttosto faticose. Persone che sentivano di avere qualcosa che non andava. E a cui invece Rocco, piú o meno implicitamente, e con l'esempio lampante della sua stessa esistenza, sembrava dire: è proprio quella cosa che di te pensi non vada, quella che piú funziona».

Qualche tempo dopo la sua morte Roberto Varese, un vecchio amico che a Rocco era rimasto attaccato lungo tutte le traversie della vita, riuscí a penetrare nel labirinto della burocrazia romana uscendone indenne con un permesso speciale: quello di piantare un albero, un ulivo, a pochi metri dal luogo dell'incidente, al limite di uno spazio verde sovrastato da un maestoso troncone della piú antica cerchia delle mura romane, che circonda le pendici dell'Aventino. Stupito della piccola folla in attesa, un giardiniere del Comune ci aiutò con la buca e poi ci fece completare il lavoro. «Capisco che è stata una persona importante per voi» ci disse quell'uomo gentile, «e dunque finiamo insieme». Oggi l'alberello, che all'inizio sembrava un po' stento, è fronzuto e in buona salute, fa addirittura un po' di olive quando deve. La targa di metallo con il nome di Rocco e le date, invece, è stata rubata tante di quelle volte (come tutto ciò che a Roma è rubabile) che abbiamo rinunciato a rimetterla. A volte ci vediamo lí tutti insieme, per l'anniversario della morte di Rocco o in altre occasioni, ma penso di non essere il solo a frequentare l'albero privatamente o in piccoli gruppi occasionali. E certo, è inutile aggiungere che se c'è un albero che assomiglia a Rocco, è l'ulivo, con tutta la tenacia e la difficoltà e la lentezza suggerite dalla sua bellezza. Dunque si può provare l'effettiva sensazione, fermandosi in quel posto di notte, quando si dirada almeno un po' il traffico sul lungo viale che collega il Circo Massimo e la Piramide, di andare a trovare Rocco in una sua nuova manifestazione arborea. Una volta che dei poliziotti mi hanno rimproverato perché avevo fatto pipí ai piedi dell'ulivo, non sono riuscito a spiegargli che era una specie di saluto, un piccolo scherzo tra vecchi amici. Nella mia mente quell'alberello fiero e rigoglioso, che cresce isolato come una sentinella che sorveglia qualche avamposto, ha finito per associarsi al giardino di Pia, come una sua lontana propaggine, una specie di succursale metropolitana.

È facile stendere a posteriori un'ombra di fatalità anche su ciò che – come un incidente – dovrebbe essere il suo esatto contrario e la sua negazione. Gianluca Greco, un altro degli amici del nucleo piú intimo, mi ha detto che pochi mesi prima di quello mortale Rocco aveva già avuto un incidente in motorino, mentre andava a lavorare. Una macchina lo aveva tamponato seriamente a un semaforo. «Ora» aveva detto a Gianluca, «non mi può piú succedere nulla, sono immortale». Piú inquietante è il fatto che, proprio pochi giorni prima di quella notte fatale, gli avessero rubato la macchina, perché probabilmente sarebbe andato in macchina da Carola, eccetera eccetera. Il fatto è che nelle nostre vite il caso e il piú inflessibile concatenarsi degli eventi si assomigliano in modo da diventare esattamente identici – e forse è proprio questa opacità a permetterci di tollerare l'urto delle cose, senza mai farcene una ragione ma finendo per accettarle. Nei mesi successivi alla morte di Rocco, ho patito uno strano malessere, di natura indubbiamente psicosomatica, ma non per questo meno fastidioso. Ogni volta che prendevo sonno, sia di notte che per un breve riposo durante il giorno, passavano pochi secondi e mi risvegliavo con il cuore che batteva fortissimo, ricoperto di sudore, pervaso dalla sensazione di aver intravisto qualcosa di tanto intollerabile da farmi scappare dal sonno come si tira indietro una mano che involontariamente ha toccato il fuoco. Era una sensazione cosí brutta che per tutta l'estate ho cercato in ogni modo di arrivare esausto al momento di addormentarmi, aspettando le prime luci dell'alba. Cosí facendo, a volte lo sfinimento mi risparmiava quegli attacchi. Me ne restavo seduto sul letto aspettando che il ritmo del cuore si normalizzasse. Pensavo a Rocco. Un sospetto mi tormentava: uno di quei tormentoni che nel buio della notte fonda si ingrandiscono a dismisura e che con la luce del giorno riacquistano le loro vere dimensioni – tranne quelle volte in cui la paranoia intercetta una verità fondata. Molto spesso, negli ultimi tempi, Rocco mi aveva parlato di una specie di inchiesta che gli era venuta in mente per un racconto o un reportage su Cosoleto. Nel paesino dell'Aspromonte, infatti, stando a quello che mi raccontava, si era registrato un picco inedito di morti per tumori. «I vecchi un tempo» raccontava, «campavano fino a novant'anni mangiando pane e cipolla e lavorando fino all'ultimo raggio di sole. Ora stanno morendo tutti, si ammalano presto». Aveva verificato in qualche modo questa sensazione? Non so, ma la spiegazione di Rocco era terribile: l'Aspromonte è una zona rinomata per lo smaltimento clandestino di rifiuti tossici, una delle specialità della malavita locale. Qualcuno poteva essersi disfatto di chissà quale porcheria buttandola in una forra inaccessibile, o in qualunque altro luogo dove potesse infiltrarsi in una vena dell'acqua usata per bere e irrigare gli orti. Non solo: la vita di questi delinquenti è soggetta – come si può facilmente immaginare – a ogni specie di imprevisti. Chi aveva smaltito quel veleno poteva essere morto il giorno dopo in una sparatoria, o magari di overdose, e anche nel caso (piú che improbabile) di un pentimento nessuno avrebbe mai potuto eliminare la causa di quella terribile strage prolungata. Chissà. Sono cose che vanno provate prima di essere raccontate. Fatto sta che mi ero messo in testa, durante quelle notti interminabili in cui soffrivo di un vero terrore di addormentarmi, che Rocco avesse cominciato a fare delle domande inopportune e pericolose. E le strane circostanze di quello scontro mortale con una macchina parcheggiata suggerivano la presenza di un mistero e nello stesso momento l'assoluta impossibilità del suo scioglimento. In certe ore oscure di quella strana insonnia generata dalla paura del sonno, mi appariva come una certezza l'idea che Rocco fosse stato ucciso. Associo tutto questo malessere, come a volte capita, al ricordo di un solo luogo. In quel periodo io e Chiara avevamo affittato una casa in Grecia, sulla costa meridionale di Samo. Era una piccola casa molto isolata su un'interminabile spiaggia di ciottoli, un nastro di pietre bordeggiato dalla spuma della risacca da un lato e da un fitto canneto dall'altro. Non veniva mai nessuno, non c'erano né bar né ombrelloni, nulla, solo greggi di capre di passaggio all'alba e al tramonto e qualche raro uccello marino che sorvolava la distesa luccicante del golfo. Una notte, dopo essermi risvegliato di soprassalto almeno cinque volte, stravolto e sudato avevo deciso di sistemarmi sulla spiaggia sotto la casa, per godermi il fresco aspettando l'aurora. Mi ero steso sul relitto di una sedia a sdraio abbandonato lí da chissà quanto tempo. Il paesaggio era stupendo. La luce della luna faceva letteralmente brillare le migliaia di ciottoli bianchi della spiaggia, e tracciava una pista argentata sulla superficie del mare, fino all'orizzonte. Abbandonato sulla sedia a sdraio, mi godevo un torpore parziale, cercando di non richiudere gli occhi per non cadere nella solita trappola. Ed è stato cosí che mi è venuto in testa un pensiero, che ho riconosciuto come vero ancora prima di comprenderne il senso. Quel malessere, quel sintomo cosí fastidioso legato al sopraggiungere del sonno, non era *una conseguenza* dello shock dovuto alla morte improvvisa di Rocco, come avevo pensato fin dall'inizio. No, non si trattava di un semplice riflesso psicologico: *era Rocco stesso*. Ancora incerto sulla direzione da prendere, forse incapace di realizzare ciò che gli era accaduto, smarrito e spaventato di fronte al Grande Buio, il suo spirito si era insediato nel mio sonno. Sabotandolo, chiedeva aiuto, attenzione, memoria. Come sempre aveva fatto nella vita, voleva accertarsi che qualcuno gli volesse bene. E cosí, per mesi, mi sono adattato a quel lungo congedo. Per quanto resistessi, prima o poi chiudevo gli occhi, e scivolavo nel sonno; a quel punto, una forza portentosa mi riportava indietro. Mi sentivo come una strada percossa da innumerevoli zoccoli di cavalli al galoppo.

Il filo del mio racconto su Pia si era interrotto al 1996. Oltre all'*Onegin*, per completare una specie di dittico dei grandi eroi romantici quell'anno uscí anche la traduzione di *Un eroe del nostro tempo* di Lermontov. Tutti questi lavori, che esigono grandi dosi di energia e tenacia, e che Pia eseguiva in maniera eccellente, non esaurivano assolutamente le sue energie. È in questo squilibrio, in questa riserva di forza, che si annida l'insoddisfazione. Ricordo molto bene questo periodo, che precede il nuovo patto con la vita, l'avventura del giardino. Ancora in mare aperto, Pia spiava il cielo cercando le stelle giuste, l'orientamento decisivo. Ogni tanto la perdevo di vista, e un bel giorno mi arrivava una lunga lettera da Londra, o dall'America. Ma quando passava da Roma, oppure andavo a Milano, il meccanismo della nostra intimità si rimetteva in moto come se ci fossimo visti la sera prima. Con mia grande sorpresa, manifestava una crescente insofferenza per Milano e la vita di città. So che è un giudizio del tutto irrazionale, ma il desiderio di trasferirsi in campagna, quando non è dettato da qualche inderogabile necessità pratica, mi è sempre sembrato un autolesionismo deleterio. Anche se passo la maggior parte del mio tempo chiuso in casa, ho bisogno di sapere che la città è lí, intorno a me, con il suo infinito groviglio di possibilità e desideri, cattivi odori e bellezze involontarie, e tendo ad attribuire anche agli altri i miei stessi bisogni. Non parlo ovviamente di chi in campagna ci è nato o ci lavora, ma di topolini di città come mi sembrava fosse anche Pia, quando iniziò a parlare di una proprietà di famiglia, un podere (già la parola mi irritava) non lontano da Lucca di cui avrebbe voluto occuparsi. Davvero voleva lasciare quella casa cosí bella a via Archimede? Non lontane da Porta Vittoria, la strada di Pia e un paio di parallele, a osservarle su una cartina o dal satellite mostrano una stranezza, perché sono inclinate in maniera obliqua rispetto alle altre – un po' come Broadway rispetto alla griglia perpendicolare delle strade di Manhattan. La ragione di quell'incongruità urbanistica è che in quella zona a metà Ottocento sorgeva la stazione Ferdinandea di Porta Tosa, che collegava Milano a Venezia e all'Austria. Un luogo che fu tra gli epicentri della rivolta delle Cinque Giornate. Di lí fu rispedito al mittente, senza tanti rimpianti, il feretro del maresciallo Radetzky. Quando la stazione fu abbattuta, le strade conservarono la direzione del tracciato dei binari e dei terrapieni, e verso la fine del secolo nacque un quartiere operaio di villette unifamiliari, tutte dotate di qualche metro quadro di terreno destinato a orti e giardini. Dalle finestre di casa di Pia si godeva, ancora un secolo dopo, la vista di questo paesaggio urbano inconsuetamente ricco di spazi verdi ingegnosamente coltivati. Dico questo perché può capitare agli esseri umani, nelle decisioni che prendono sul loro destino, di essere ispirati da cose che gli capitano sotto gli occhi tutti i giorni, e che per tutti gli altri avrebbero solo un ruolo decorativo. Le tracce ancora evidenti dell'utopia socialisteggiante della «città giardino», insomma, potrebbero avere esercitato su Pia una certa suggestione, contribuendo alla decisione di consacrarsi a un orto e a un giardino: ma fuori città, con tutta la terra e la libertà che voleva. Come accennavo, non ero stato affatto né un buon profeta né un buon consigliere, sospettando in quel progressivo distacco da Milano e nell'isolamento che ne sarebbe seguito qualcosa di pericoloso. Ne nacquero infinite e spassose discussioni, perché Pia mi obiettava di proiettare sui suoi desideri preoccupazioni che erano solamente mie. Mi prendeva in giro per le mie prospettive limitate di «ragazzo di città», che era un'allusione al finale del *Dono di Humboldt* di Saul Bellow, quando Charlie Citrine, il protagonista, confessa di avere grosse difficoltà con il nome di un fiorellino primaverile che gli viene fatto osservare. «Saranno crochi» azzarda alla fine con indifferenza, perché il regno del «ragazzo di città», il suo piano di realtà, non è la natura, che non ha nulla da insegnargli, ma l'infinita, artificiale illusione delle relazioni umane. Noi «ragazzi di città» tendiamo a considerare una caratteristica da svitati, o un inquietante campanello d'allarme, un interesse per la Natura che vada oltre i limiti di una passeggiata al parco con il cane. Ma Pia, nonostante tutte le apparenze, non era una «ragazza di città». Era nata per piantare semi, zappare, concimare. E se ne era resa conto in tempo. Quello che consideravo un rischio esistenziale per lei, nell'erronea convinzione che sradicarsi da Milano fosse una frustrante e scomoda chimera, si rivelò nel tempo, dopo un necessario apprendistato pieno di fatiche ed errori, un colpo vincente.

Un'autentica vocazione, credo, valorizza al massimo fatti o predisposizioni già presenti nella vita in modo embrionale o marginale. Altrimenti, si tratta di colpi di vento, di fantasie di redenzione senza nessun reale rapporto con la storia dell'individuo: come quando ci si mette a bofonchiare i mantra salvifici, o ci si sottomette a regimi alimentari assurdi, o si sposano cause di cui fino al giorno prima non si era mai sentito parlare. Non c'è niente di male, ma quello che voglio dire è che le vere rivoluzioni sono trasformazioni: di ciò che già sappiamo, di ciò che abbiamo sempre avuto sotto gli occhi. Perché è vero solo ciò che ci appartiene, ciò da cui veniamo fuori. Il giardinaggio e la coltivazione sono sempre stati caratteri quasi ereditari nel ceto di Pia, quello dei possidenti illuminati, che da che mondo è mondo piantano, invasano, erigono spalliere, costruiscono serre, si scambiano informazioni su semi e terricci. Non facevano eccezione né il padre di Pia (un luminare del diritto) né la madre (un'insegnante di filosofia che era stata allieva di Giorgio Colli). Il solo fatto di ereditare un podere per farne ciò che voleva è carico di significati familiari e ancestrali che rimandano a un legame atavico con la terra e tutti i suoi archetipi: germinazione, crescita, morte, ciclo stagionale. Certo, un'erede come Pia è molto rara, anche se non unica, ma è proprio qui che il destino rivela le sue doti di grande e geniale scultore, preferendo per le sue creazioni affondare le mani nel risaputo e nel prevedibile. Già i davanzali della casa di via Archimede erano pieni di vasetti di fiori e spezie amorosamente accuditi. Quei microcosmi vegetali potevano sembrare frammenti, briciole di un paradiso perduto, e invece erano altrettante promesse, tenaci segnali del futuro. C'entra anche un libro, forse non meno decisivo dell'*Onegin* e per di piú letto da bambina, quando l'impronta di certe letture può rimanere indelebile: *Il giardino segreto* di Frances Hodgson Burnett. Cosí come aveva tradotto il capolavoro di Puškin, Pia tradusse dall'inglese anche quest'altro pilastro della sua esistenza, dieci anni dopo. La storia è bellissima. Mary è una ragazzina inglese apparentemente bruttina e antipatica, cresciuta in India fino al giorno in cui rimane l'unica superstite di un'epidemia di colera. Orfana come Harry Potter, viene spedita a vivere nello Yorkshire nel maniero di uno zio vedovo, misantropo e lunatico, dove nessuno si occupa di lei e tutto cospira a renderla una bambina sempre piú infelice e intrattabile. Ma tutto cambia il giorno in cui Mary, in circostanze venate di mistero e di magia naturale, mette piede in un giardino recintato da alte mura, dove da molto tempo non è entrato nessuno, tanto che anche la sua porta è stata cancellata alla vista dai getti dell'edera. La favola si riempie in modo incantevole di sacchetti di semi, piccole vanghe, rastrelli, cesoie. Occuparsi del giardino segreto consentirà a Mary una metamorfosi del corpo e dello spirito che le farà conoscere quella felicità che i «pensieri neri» le vietavano. C'è un tema ancora piú ricorrente del giardinaggio nel libro, ed è quello della vita all'aria aperta e dei suoi benefici effetti di rigenerazione. Anche nei libri di Pia sull'orto e sul giardino irrompe spesso l'idea che la giornata ideale sia quella passata senza un tetto sulla testa. Fino all'ultimo, quando doveva armeggiare con la carrozzina elettrica e limitarsi a dei percorsi obbligati, voleva sempre *stare fuori* – ed è cosí che è morta – come se l'ultimo nocciolo, la quintessenza di tutto quello che aveva imparato non riguardasse piú nemmeno orti e giardini, ma l'arte suprema del *plein air* quotidiano, del rifiuto dei ripari d'inverno e d'estate, con qualunque tempo.

Nel 2003 Pia pubblicò il suo primo «libro naturale» (non sono riuscito a scovare una definizione migliore): *L'orto di un perdigiorno*. È il diario di un anno, mese per mese, stagione dopo stagione. Sul suo piccolo angolo di mondo, il cielo è teso e uniforme come un telo grigio che trasuda l'afa estiva, oppure attraversato da rapide nubi foriere dei primi temporali, limpido e gremito di stelle nel gelo invernale, o ancora affollato da nuvolette come in quelle sere di marzo in cui ci si rende conto che sí, le giornate finalmente si sono allungate. Come si può capire leggendo, Pia ha già imparato molto e d'altra parte ha ancora molto da imparare. Coltiva barbabietole, pomodori, lattuga, cipolle, rucola, radicchi amari, e un'infinità di altra ottima roba che la avvicina ogni giorno di piú a una specie di autosufficienza alimentare. Ne è felice come quei bambini che, nascosti sotto un tavolo o dietro una tenda, godono dell'idea di essersi ricavati un mondo nel mondo. Che sia sconfinato o ridotto a pochi metri, un regno è sempre un regno. A quanti esseri umani è dato in sorte di realizzare esattamente la loro favola preferita? Pia era riuscita a vivere come nel *Giardino segreto*. E la sua traduzione del libro, fatta in questo periodo, è cosí bella e cosí contagiosa perché la vittoria dell'anima sul male che la favola di Mary (come ogni favola) racconta è la stessa che Pia ha iniziato a vincere. Tanto che alcune pagine di quel vecchio libro per bambine potrebbero figurare tali e quali in uno di quelli composti da Pia negli ultimi anni. Sono opere affascinanti e sorprendenti anche per tutti i «ragazzi di città» che non sono nemmeno in grado di tenere in vita una piantina di basilico comperata al supermercato. E se convincono tanto, si deve anche al fatto che tutto è difficile, incerto, sottoposto a numerosi fallimenti e traversie di vario genere. Smottamenti, parassiti, siccità. Sementi sbagliate, avventate imitazioni di orti e giardini altrui. Nulla è piú distante da Pia della stolida immagine di un guru ecologista, che parla come qualcuno che ha imparato il gioco e lo spiega agli altri. I suoi libri vibrano della salutare, rivelatrice energia dell'errore. E le sconfitte, anziché scoraggiarla, esaltano il suo nobile disdegno di tutto ciò che è facile. Da un punto di vista metafisico e teologico, l'esperienza raccontata evocava dilemmi che sono il cuore stesso della civiltà cattolica, e ruotano tutti intorno alla Natura e alla Grazia, al loro imprevedibile assomigliarsi e distinguersi. Ebbene, la Natura ha molte cose in comune con la Grazia, ma anche delle cose con la Grazia inconciliabili, a partire dalla necessità di *lavorarla*, e dunque di assoggettarla al tempo terreno, ai vincoli dell'umano. E Pia scrive quello che vive con una meravigliosa congruenza di parole e cose, il terreno considerato come una pagina e la coltivazione come scrittura – e viceversa. Foglia dopo foglia, tubero dopo tubero, il regno di Pia prosperava. Di segreto aveva il fatto che non si poteva vederne nulla dalla strada, dove un anonimo portone di pietra immetteva in un vialetto di sempreverdi. Solo dopo averlo percorso tutto si poteva vedere la prima parte del giardino, e sulla destra il patio della casa. Procedendo, lo sguardo era sorpreso da una vastità che non si sarebbe aspettato arrivando dalla strada provinciale abbastanza angusta dell'ingresso. Oltre il confine del giardino, che consisteva in una folta siepe, e dei campi coltivati che confinavano con la proprietà di Pia, si disegnava il profilo dei Monti Pisani, che sembrano piú alti di quello che sono grazie all'imperturbabile monotonia delle pianure dove scorrono il Serchio e l'Arno. Fino a che ha potuto, Pia ha battuto tutti i sentieri di quelle montagne in compagnia dei suoi cani. Era amica di un professore che la portava a osservare rare specie di uccelli di palude, o di antichissimi licheni.

Con l'autunno il sonno, gradualmente, si normalizzò. Ho una spiegazione abbastanza plausibile: durante il giorno avevo iniziato a occuparmi di Rocco con l'attenzione e la costanza che finalmente lo avrebbero accontentato – lui che mi aveva sempre rimproverato di interpretare troppo a modo mio i sacri doveri dell'amicizia. Il fatto è che Antonio Franchini e Giulia Ichino, gli ultimi editori di Rocco, intendevano pubblicare da Mondadori il romanzo che al momento della morte stava per consegnare. Mi ero incaricato di curare quest'opera postuma, ma il lavoro si rivelò molto piú difficile e complesso di quello che credevamo. Ci volle un po' di tempo perché stranamente il file era protetto da una password, bizzarria che avevo visto solo in qualche film, e alla fine mi sono trovato davanti un testo scritto fino alla fine, ma in condizioni ancora troppo incompiute per la pubblicazione. Chiaramente Rocco ci avrebbe lavorato alla sua maniera fino a perfezionarlo a regola d'arte, come fanno tutti. Era uscito di casa, quell'ultima notte, convinto di ritornare dopo qualche ora, e l'indomani si sarebbe rimesso al lavoro. E invece di tornare a casa, era andato dritto all'altro mondo con le chiavi ancora in tasca. Come si può immaginare il processo di elaborazione del libro era ancora molto lontano dall'aver raggiunto l'ultima mano. Una cosa è l'editing, un'altra completare intere frasi, aggiungere i nomi quando non è chiaro il soggetto, eliminare contraddizioni e scegliere tra due o piú alternative rimaste lí in attesa. Insomma, pensavo che mi sarei trovato di fronte qualcosa di simile a una statua da lucidare, e invece c'erano ancora da dare parecchi colpi di scalpello e di lima. Che fare? Se si fosse trattato di un autore antico, di un classico, avrei dovuto pubblicare il testo cosí come l'autore l'aveva lasciato, magari aggiungendo gli interventi necessari tra parentesi quadre. Ma era un'assurdità per un romanzo contemporaneo, destinato a una collana di largo pubblico. Non mi rimaneva che sostituirmi a Rocco, prendendo in mano i comandi di tutto il congegno. Nella mia vita ho pubblicato tanti testi, di autori antichi e contemporanei, ma come si può facilmente immaginare, un'esperienza psicologica cosí intensa non l'avevo mai fatta. Ogni mattina mi mettevo lí a soppesare una parola dietro l'altra, una frase dietro l'altra, cercando di completare senza metterci nulla del mio. E il fatto che il mio stile e quello di Rocco fossero inconciliabili come l'acqua e l'olio (lui mi diceva spesso che io facevo della «prosa d'arte», a suo parere un po' antiquata) si rivelò presto un grande aiuto, costringendomi a pensare sempre non a cosa fosse meglio in astratto, ma a come il mio amico avrebbe portato a termine quella singola espressione ancora in sospeso. Mi sembrava quasi che quello stato del testo, né veramente incompiuto né veramente compiuto, fosse intenzionale, perché richiedeva tutta l'attenzione e la comprensione che Rocco esigeva dagli altri. Onestamente, non ricordo un solo caso in cui il mio intervento sia stato prevaricante. Ho cercato di essere una specie di protesi di Rocco, una sua propaggine nel mondo dei vivi. Non sarà un metodo molto ortodosso dal punto di vista filologico, ma certamente è stata un'esperienza positiva per tutti e due, se volessimo dare allo spettro di Rocco una possibilità di realtà. E perché no? Che ne sappiamo noi? Comunque sia, da quando avevo iniziato quel lavoraccio dormivo tranquillo.

A volte, mentre scrivo, mi sembra di procedere in mezzo a una folla di ricordi che chiedono attenzione come gente che tende la mano sperando in un'elemosina. Pia e Rocco che litigano perché lei si rifiuta di ospitarlo in campagna assieme a una nuova fidanzata, mentre lei era rimasta amica della vecchia. Pia che mi porta a sentire un concerto di Gianna Nannini – aveva scritto i testi per un'opera rock della Nannini ispirata a una sua celebre omonima, la Pia dei Tolomei del *Purgatorio* («Siena mi fe', disfecemi Maremma» eccetera eccetera). Un regalo di Pia per una casa nuova: un portacandele a forma di colonna corinzia. Auguri di Natale, di buon anno. Come tutta l'umanità, a un certo punto rinunciamo a scriverci lettere e biglietti a mano. Ne consegue una miriade di messaggini. Telefono a Pia da un albergo di Mosca dove sono per lavoro per chiederle cosa vedere un pomeriggio che avevo libero, in quella città che mi sembrava ostile e inutilmente smisurata, e lei mi spedisce in un luogo incantevole, gli Stagni dei Patriarchi, che sono lo scenario del primo capitolo del *Maestro e Margherita* di Bulgakov, con quel fesso che fa una brutta fine sotto il tram. Le strane latenze che ci sono nelle amicizie piú profonde: dopo la sua morte, non parliamo quasi mai di Rocco, lasciando che la sua assenza rinsaldi il nostro legame in modo del tutto inconscio, o implicito. Quando penso a lei, la immagino felice a piantare cavoli, a incoraggiare mughetti. A causa del successo dei suoi libri naturali, vedo molte immagini di Pia sui giornali, su internet. Spesso in compagnia di Macchia o del cane di prima, di cui non ricordo il nome. In una di queste fotografie è seduta comoda su una poltrona di vimini all'ombra del patio, e tiene in mano la biografia di Giovanni Comisso di Nico Naldini. Leggevamo sempre gli stessi libri, ci piacevano le stesse cose. Poco prima che la malattia cominciasse la sua opera di distruzione, uscí l'ultimo lavoro di traduzione di Pia, un minuscolo e prezioso volumetto con tre racconti di Čechov poco noti, scelti dalla prima raccolta. «Credo che se non avessi fatto lo scrittore, avrei potuto diventare giardiniere» aveva scritto una volta Čechov a un amico.

Da pochi mesi ho compiuto l'età esatta in cui Pia si è ammalata, cominciando a perdere progressivamente, inesorabilmente, giorno dopo giorno, l'uso del suo corpo. Gli anni di Rocco, invece, ormai li ho superati abbondantemente. I nostri amici sono anche questo, rappresentazioni delle epoche della vita che attraversiamo come navigando in un arcipelago dove arriviamo a doppiare promontori che ci sembravano lontanissimi, rimanendo sempre piú soli, non riuscendo a intuire nulla dello scoglio dove toccherà a noi, una buona volta, andare a sbattere.

Ecco un sogno che ho fatto qualche tempo dopo aver terminato il lavoro al libro postumo di Rocco. Eravamo in una macchina che aveva da giovane, un'utilitaria bianca con il bagagliaio completamente occupato dal serbatoio dell'impianto a metano. Percorrevamo un lunghissimo viale di periferia, bordato da platani. Sapevo che Rocco era già morto, perché aveva la ferita sul mento che lo aveva ucciso sul colpo nell'incidente, ed era pallido. Ma a differenza di come l'avevo immaginato l'estate precedente, quella notte in Grecia, non mi sembrava piú smarrito, o in pena per qualcosa. In un primo momento ero arrabbiato con lui, perché guidava a una velocità da incosciente, senza fermarsi ai semafori e agli incroci di quel viale interminabile. Lui sorrideva, non aveva paura di nulla. D'altra parte mi ero reso conto che il rischio di andare a sbattere non esisteva, perché in quel viale e nelle sue traverse non c'era nessuno a parte noi. Per qualche imperscrutabile motivo, eravamo soli al mondo. Passasse pure col rosso, allora, se lo faceva contento. Una volta, non in un sogno ma nella realtà, eravamo in quella stessa macchina bianca sull'autostrada, diretti in Calabria per Pasqua – era un giorno di traffico. Dalle parti di Eboli, un camion prese fuoco davanti a noi, divampando all'improvviso come la capocchia di un fiammifero. Una nuvola densa di fumo nero invase tutta la corsia, piombandoci in un buio totale. Ricordo di essere stato totalmente certo, per una di quelle frazioni di secondo che diventano ore intere, che non ne saremmo mai usciti vivi. E poi, in maniera sorprendente, invece di morire siamo tornati a correre nella luce del giorno. Rocco aveva schiacciato il pedale dell'acceleratore e invece di tentare rovinosamente di frenare o rallentare aveva spinto la macchina piú veloce che poteva dentro quel fumo serpeggiante di fiamme, cosí da riemergere davanti, dove non c'era piú nessun pericolo. Fossi stato io alla guida, non ce la saremmo mai cavata. Forse la velocità sconsiderata del sogno era un riflesso di quell'esperienza reale: una cosa che sembrava folle, e invece era l'unica cosa da fare. Sul momento, mi fece l'impressione di un segnale: Rocco aveva superato il suo smarrimento, si era adattato alla sua nuova condizione. E dunque aveva iniziato ad allontanarsi davvero, era questo che forse significava la velocità della macchina. Avrei dovuto iniziare presto a prendere degli appunti, a trattenerne qualcosa prima che fosse troppo tardi. Come fiori di melo appena sfiorati dalla brezza, anche i ricordi di chi abbiamo conosciuto talmente bene che la consuetudine è diventata quasi un riflesso condizionato, si staccano e volano via con rapidità inconcepibile. Pensiamo di averne accumulati tantissimi, cosí numerosi e vividi da ritenerli inestinguibili – e invece in mano ci resta poco piú di uno sfarfallio di immagini incerte e fuggitive. Forme di memoria talmente insignificanti e sbriciolate da equivalere alla dimenticanza. Tutto *l'onere della prova* ricade sulle spalle di chi resta. Saranno davvero esistite due persone come Rocco e Pia? E di chi possiamo dire con certezza che ha avuto una vita felice, o infelice? Non è forse, di ogni emozione che accade davvero in noi, di ogni parola davvero importante, vero anche il contrario? Dal piú minuscolo composto di molecole alle mostruose grandezze dell'universo, è sempre l'impossibile che genera il possibile, questo è il marchio indelebile, il difetto di fabbrica della nostra esistenza, e nessuno può evitare di farci i conti, di scontare nel suo limitato orizzonte la pena decretata dalla legge universale.

Un giorno di giugno di qualche anno fa un uomo che diceva di amarmi osservò, con tono di rimprovero, che zoppicavo.

Il male del «motoneurone» va avanti come un condottiero che invade una terra che non potrà mai opporgli una vera resistenza – al massimo qualche rallentamento. Pia perse la sua indipendenza arto per arto, gesto per gesto, l'anima vigile e spaventata sempre piú limpida, consapevole. Il titolo del suo libro sulla fine, che è l'apice della sua «letteratura naturale», viene da una poesia di Emily Dickinson, botanica di prim'ordine. «I haven't told my garden yet» dice la poetessa, non l'ho ancora detto al giardino che mi tocca morire, penetrare nell'«Ignoto». Presto, troppo presto! Come farà il giardino a capire perché la giardiniera non viene piú ad accudirlo? Meglio nascondergli la verità, meglio nasconderla anche all'ape che ronza tra i cespugli, alle foreste e alle praterie dove Emily ha tanto amato camminare. Queste sono cose da esseri umani, vincolati alla coscienza delle regole del gioco, non da api e giardini che nulla sanno della morte. L'ultimo libro di Pia è grande letteratura, o meglio grande poesia, se intendiamo con questa parola un grado supremo di espressione dell'umano, del singolare, dell'inadeguato. Quando l'ho letto, le restavano ancora poche settimane di vita, e quello che piú mi colpí era il modo in cui Pia, all'arrivo dell'ineluttabile, avesse attinto a risorse accumulate nel tempo, come una formica durante l'inverno. Era saggezza, era forza d'animo. Ma non erano risorse sufficienti, ovviamente. Soprattutto la notte, certe notti, rimane solo la paura: come di un corpo gettato nel vuoto rimane solo il peso. Poi tornano l'ironia, un pensiero gentile, la capacità di farsi coraggio. Pia è credibile perché nessuna conquista è stabile, a fare progressi lineari è solo il male. Si affidava alle prescrizioni dei medici seri, ma sperimentò con distacco una serie di cialtronate che male non potevano farle. Cure elettriche, pozioni di erbe e bacche selvatiche. In realtà credo che non avesse fiducia in nulla, com'era giusto perché c'era ben poco da fare. Una sera che ho passato da lei, quando le cose ormai andavano di male in peggio, ci siamo divertiti a immergere le dita in un vasetto di vetro appena arrivato per posta, per assaggiare una specie di disgustosa e puzzolente melassa vegetale prodotta in California da un'imbrogliona che asseriva di avere studiato i rimedi sciamanici dei nativi del deserto. E mentre i giorni passavano, il giardino, senza cambiare aspetto in modo eclatante, e senza inselvatichirsi (perché qualcuno sbrigava le incombenze necessarie) era diventato, soprattutto agli occhi di Pia, lo specchio piú veritiero delle circostanze. Se non poteva piú accudirlo, non lo avrebbe abbandonato fino all'ultimo respiro. Mentre ero da lei a ingollare il toccasana californiano, era emerso all'improvviso, mentre parlavamo del piú e del meno, un ricordo sepolto in un passato ormai lontanissimo. Una volta che stavo a Milano da lei, Pia aveva ricevuto in omaggio due biglietti per un concerto di Martha Argerich – sonate di Beethoven per piano e violoncello. Pochi secondi prima che il concerto iniziasse, degli infermieri avevano portato in sala un letto a rotelle attrezzato, sistemandolo vicino al palco. Era evidente che l'uomo nel letto era arrivato alla fine, e voleva provare un'ultima volta l'estasi di quella musica sublime, che per certe persone è l'esperienza piú importante della vita, la sua emozione piú profonda, una religione senza parole. Ne avevamo parlato a lungo, tornando a casa, di quell'uomo appoggiato allo schienale rialzato del letto, il tubo di una flebo al braccio, la testa fasciata, il naso aquilino. Ogni volta che siamo colpiti da un'immagine della bellezza e della dignità umana, è sempre all'opera una discriminazione riuscita tra il futile e l'essenziale, e dunque il senso di una parte di noi che non soccombe, non si lascia trascinare via da nulla, è la sovrana di se stessa. Rimanere accanto al giardino, senza dirgli nulla della malattia, per Pia aveva esattamente lo stesso valore del concerto di Beethoven per quello sconosciuto. Era la sua musica e nonostante tutto continuava a suonare senza di lei.

Sicuramente non sono piú attraente agli occhi altrui, tuttavia: mi sento adesso piú che mai connessa interiormente a una sorta di bellezza e armonia impalpabili. Una bellezza che va rivelandosi mano a mano che, con lo spegnersi, si estingue la sicumera dell'io, l'attaccamento al mondo. Mi sento riassorbire in qualcosa di piú vasto di me.

Avevo pubblicato un lungo articolo sul suo libro. A quel punto, comunicava solo con i messaggi vocali di WhatsApp. Me ne è arrivato uno il giorno stesso, qualcuno doveva averle portato il giornale. Quando ho iniziato a scrivere queste pagine, avevo pensato di recuperare il messaggio, riattivando i vecchi cellulari che tengo in un cassetto. Perché non mi ricordo niente di quello che mi disse, come se non l'avessi mai ascoltato, ricordo solo che era arrivato questo messaggio, e che ero stato felice del fatto che avesse fatto in tempo a leggere quell'articolo, che ancora una volta fossi riuscito a dirle – in quella maniera indiretta – quanto le volevo bene, quanto la stimavo. Poi però ho rinunciato a riascoltare il messaggio. Ci sarà pure un motivo, se ci scordiamo di qualcosa. E questa dimenticanza, non saprei dire bene perché e in che senso, ho cominciato a immaginarla come una fonte che sgorga nel buio di una caverna, e alimenta un intero fiume rimanendo invisibile.

Nei momenti migliori, ciò che sperimentava era la «limpidezza dell'essere soli al mondo». Circolavano nel suo sangue grosse scorie di rancore, d'altra parte. Come se la malattia fosse la conseguenza dell'avere imboccato «una strada sbagliata». Ma come faceva a dirlo? Esporsi a inutili sofferenze e umiliazioni, scrive, «ha fatto impazzire la mia energia». Anche nel giardino erano circolati dei serpenti. Perché le età della vita non si succedono, si accavallano.

Mi pare che siano in corso due processi paralleli: da un lato il decadimento fisico di cui nessuno comprende la dinamica, dall'altro un movimento in avanti dell'anima che si libera.

Non ricordo se infilata nel vetro di una credenza o appoggiata allo scaffale di una libreria, c'era una cartolina un po' spiegazzata dell'*Origine del mondo*, di quelle che si vendono all'uscita dei musei. Probabilmente l'aveva comprata quella mattina di settembre al Musée d'Orsay, forse ne avrà presa anche una per me e una per Rocco, non ricordo ma conoscendola mi sembra piú che probabile. Dopo avere attraversato le innumerevoli fronde del giardino, il sole si era allungato nella stanza al primo piano investendo di un momentaneo pulviscolo dorato l'immagine di Courbet, come se volesse far divampare in un fuoco glorioso quel cespuglio di peli, quel giardino anatomico, trasformandolo in un roveto ardente.

Com'è che tutto questo non è mai stato chiamato col suo nome, paura della morte? Com'è che avevo sempre creduto di non averne paura?

Che quella fosse l'ultima sera che avrei passato con Pia, era molto probabile, ma tutto ciò che è davvero solenne, nella nostra vita, manca opportunamente di solennità. Qualche giorno dopo mi scrisse di un sogno che aveva fatto, in cui al momento di salutarci lei mi diceva che non ci saremmo piú visti su questa terra, e io reagivo arrabbiandomi. Pia scherzava sul mio «disappunto». Ma insomma, quella sera ero lí, e tutte le volte di qualunque cosa possono essere le ultime volte. Ero stato sul punto di chiederle se ricordava anche lei di quando eravamo andati a vedere con Rocco *L'origine del mondo*. Erano passati piú di venti anni. In un soffio. Oppure no, lentamente – che importanza aveva, arrivati a quel punto? La sabbia della sua clessidra si stava riducendo a un filo cosí sottile da diventare quasi invisibile. Avessi potuto farlo spingendo un bottone o pronunciando la formula di un incantesimo, l'avrei lasciata andare io, dissolvendo dolcemente i suoi contorni. Le cime degli alberi fremevano leggermente nella brezza che si era alzata al calare del sole. Il verde scuro dei sempreverdi, tanto amato da Pia, prendeva il sopravvento nel teatro di ombre del crepuscolo. Un odore misto di resina, terra smossa ed erba tagliata penetrava nella stanza. E se lei non poteva piú curarsi di lui, era il giardino adesso a prendersi cura di lei. Proprio cosí: *la aspettava*, non come si dice che i morti aspettino i vivi, semmai come un veicolo pronto davanti alla porta, un tappeto volante, una carrozza di Cenerentola, un cavallo alato che conosce la strada che conduce alla sorgente della vita, all'origine del mondo. Come se non ci fosse nulla di piú importante da fare, Macchia abbaiava a una coppia di quaglie in cerca di un rifugio per la notte.

Materiali

AA.VV., «Ciao Rocco», in «Nuovi Argomenti» V s., n. 47, luglio-settembre 2009.

AA.VV., *Landolfi libro per libro*, a cura di Tarcisio Tarquini, Alatri, Hetea, 1988.

Giorgio Agamben, *Pascoli e il pensiero della voce*, in Giovanni Pascoli, *Il fanciullino* [1897], Milano, Feltrinelli, 1982.

Edoardo Albinati, «Il battito involontario del cuore di Puškin», in «Nuovi Argomenti» IV s., n. 1, ottobre-dicembre 1996.

Edoardo Albinati, «Vivere e scrivere, il passo a due di Pia», in *Il Sole 24 Ore*, 9 giugno 2019.

Annalena Benini, «Al giardino non l'ho detto», in *Il Foglio*, 23 aprile 2016.

Frances Hodgson Burnett, *Il giardino segreto* [1911], trad. di Pia Pera, illustrazioni di Fabian Negrin, Milano, Salani, 2005.

Rocco Carbone, *Agosto*, Roma, Theoria, 1993.

Rocco Carbone, *L'apparizione*, Milano, Mondadori, 2002; II ed., Roma, Castelvecchi, 2018.

Rocco Carbone, *Per il tuo bene*, a cura di Emanuele Trevi, Milano, Mondadori, 2009.

Francesco M. Cataluccio, «Il giardino di Pia Pera», in «Doppiozero», 16 marzo 2016.

Francesco M. Cataluccio, «La versione di Lolita», in *Il Sole 24 Ore*, 29 luglio 2018.

Anton Pavlovič Čechov, *Tre racconti*, trad. di Pia Pera, Roma, Voland, 2011.

Emile M. Cioran, «Fitzgerald. L'esperienza pascaliana

di un romanziere americano» [1955], in *Esercizi di ammirazione. Saggi e ritratti*, trad. di Mario Andrea Rigoni e Luigia Zilli, Milano, Adelphi, 1986.

Arnaldo Colasanti, «Morte di uno scrittore: Rocco Carbone e la Bhagavadgı-ta-», in *Febbrili transiti. Frammenti di etica*, Milano, Mimesis, 2012.

Carlo Emilio Gadda, *Quer pasticciaccio brutto de via Merulana* [1957], a cura di Giorgio Pinotti, Milano, Adelphi, 2018.

Chiara Gamberale, «Il riscatto delle nostre imperfezioni, la lezione di Rocco Carbone», in *Il Riformista*, 21 luglio 2008.

Cesare Garboli, *Diari di Delfini* [1982], in *Scritti servili*, Torino, Einaudi, 1989.

Nicola Gardini, «Elegia dell'amore vegetale», in *Il Sole 24 Ore*, 16 febbraio 2016.

Gianluca Greco, *Un saluto a Rocco* [film], 2009.

James Hillman, «Ananke e Atena. La necessità della psicologia anormale» [1974], *in Figure del mito*, trad. di Adriana Bottini, Milano, Adelphi, 2014.

Clive Staples Lewis, *L'allegoria d'amore. Saggio sulla tradizione medievale* [1936], trad. di Giovanna Stefancich, Torino, Einaudi, 1969.

Pia Pera, *La bellezza dell'asino*, Venezia, Marsilio, 1992; nuova ed., Milano, Ponte alle Grazie, 2017.

Pia Pera, *Diario di Lo*, Venezia, Marsilio, 1995; nuova ed., prefazione di Emanuele Trevi, Milano, Ponte alle Grazie, 2018.

Pia Pera, *L'orto di un perdigiorno*, Milano, Ponte alle Grazie, 2003.

Pia Pera, *Al giardino ancora non l'ho detto*, Milano, Ponte alle Grazie, 2016.

Aleksandr Puškin, *Evgenij Onegin* [1822-1831], a cura di Pia Pera, Venezia, Marsilio, 1996.

Lara Ricci, *Pia Pera*, in Enciclopedia delle donne, www.enciclopediadelledonne.it.

Thierry Savatier, *Courbet e "L'origine del mondo". Storia di un quadro scandaloso* [2006], trad. di Roberto Peverelli, Milano, Medusa, 2008.

Stefano Velotti, «*Intorno a Pia*», in Maria Cristina Vimercati, *Il giardino di Pia Pera,* catalogo della mostra, Milano, 2016, poi in «Lo straniero», n. 196, ottobre 2016.

Serena Vitale, *Il bottone di Puškin*, Milano, Adelphi, 1995.

Neri Pozza Editore

I mille volti della lettura
Romanzi, saggi, narrativa di viaggio

Stampato per conto di Neri Pozza Editore
da Grafica Veneta S.p.A., Trebaseleghe (Padova)
nel mese di marzo del 2021

Questo libro è stampato col sole

Azienda carbon-free